JUÁREZ EN LA POESÍA

COMPILACIÓN Y NOTAS

VICENTE MAGDALENO

❦

GOBIERNO DEL ESTADO DE OAXACA
SECRETARÍA DE CULTURA

LIC. ULISES RUIZ ORTIZ
GOBERNADOR CONSTITUCIONAL DEL ESTADO DE OAXACA

MTRA. PATRICIA ZÁRATE DE LARA
SECRETARIA DE CULTURA

MTRO. JORGE MACHORRO FLORES
SUBSECRETARIO DE DESARROLLO CULTURAL

C. P. SERGIO CERVANTES QUIROZ
SUBSECRETARIO DE CULTURA

LIC. ANDRÉS WEBSTER HENESTROSA
SUBSECRETARIO DE PLANEACIÓN

MTRO. VÍCTOR MARTÍNEZ GUZMÁN
DIRECTOR DE FOMENTO A LA CREATIVIDAD

VÍCTOR ARMANDO CRUZ CHÁVEZ
JEFE DEL DEPARTAMENTO DE FOMENTO
EDITORIAL Y LITERATURA

Portada: *Lluvia Púrpura*
Rubén Leyva
Técnica: Óleo/Lino
150 cm x 200 cm.
Foto: Carlos Alcázar

Primera edición, 1972.
Comisión Nacional para la Conmemoración del
Centenario del Fallecimiento de don Benito Juárez.

Segunda, tercera y cuarta Edición, 2005.
Secretaría de Cultura del Estado de Oaxaca.
Heroica Escuela Naval Militar No. 701
esquina con Dalias, Col. Reforma, Oaxaca, Oax.
ISBN 968-6951-67-9

Diseño: Mario Lugos.

❦

Contenido

PRESENTACIÓN

⚜

Resulta altamente simbólico para el pueblo mexicano, y oaxaqueño en particular, la conmemoración del segundo centenario del natalicio de Benito Juárez García: hombre emblemático cuya figura es inherente a la noción humanista del derecho a la soberanía de los pueblos.

La historia contemporánea, con Juárez, se nutre no sólo de las más altas ideas en cuanto a justicia social y el respeto a la autodeterminación, sino con el más preclaro ejemplo de convicción patriótica en total contraposición a los afanes intervencionistas, con lo cual logró conducir a un pueblo vulnerable, con el ímpetu de la inteligencia y una inquebrantable moral, a los confines de la dignidad y el respeto universal.

Y, quizá, las palabras nunca serán suficientes para honrar, en su exacta magnitud, a quien logró cimentar los principios republicanos que han dado tan amplio sentido a la presencia de México en el concierto de las naciones.

Por eso el Gobierno Constitucional del Estado de Oaxaca ha emprendido una serie de acciones para conmemorar, el 21 de marzo de 2006, el doscientos aniversario del nacimiento de un oaxaqueño, figura cardinal del devenir histórico en los siglos recientes. Parte de este esfuerzo es el libro que el lector tiene ahora en sus manos, mismo con el que pretendemos ensalzar la vida y la obra de quien tanto aportó a la definición del espíritu mexicano.

LIC. ULISES RUIZ ORTIZ

GOBERNADOR CONSTITUCIONAL DEL ESTADO DE OAXACA,

MARZO DE 2005.

PRÓLOGO

La presente es una reedición de la publicada por la Comisión Nacional para la Conmemoración del Centenario del Fallecimiento de don Benito Juárez, aparecida en 1972, y cuyo trabajo de compilación y las notas que acompañan a la antología poética fueron obra del escritor Vicente Magdaleno. Ahora, esta reedición tiene la finalidad de conmemorar el segundo centenario del nacimiento del patricio, a celebrarse en el año 2006.

Estas páginas reúnen textos significativos, así como de los más notables poetas hispanoamericanos y algunas voces universales, entre ellas las de Victor Hugo, Emilio Castelar, José Garibaldi y Georges Clemenceau, que no solamente expresaron su solidaridad sino, además, legitimaron la presencia histórica de Juárez como un luchador infatigable en contra de la intervención extranjera en nuestro país.

Con esta publicación el gobierno del licenciado Ulises Ruiz Ortiz, a través de la Secretaría de Cultura de Oaxaca, tiene el objetivo de propiciar un acercamiento y profundizar en la relevante obra de este notable oaxaqueño, en su carácter de estadista y ser humano.

Es indispensable que, en ésta su tierra natal, sus herederos de espíritu e ideales mantengamos una constante reflexión que nos ayude a comprender mejor el legado juarista y así brindarle, en su dimensión real, el reconocimiento justo. Por ello, el presente libro, *Juárez en la poesía,* se yergue como un ejercicio de honda raigambre lírica e histórica en el que prevalece un afán por enunciar nuestra condición e identidad, factores esenciales que favorecerán la construcción de una nación vislumbrada ya por el insigne zapoteca.

MTRA. PATRICIA ZÁRATE DE LARA
SECRETARIA DE CULTURA,

MARZO DE 2005.

PENSAR EN JUÁREZ

∾❦∾

Es marzo, mes por excelencia para el esparcimiento de muchas fragancias y para el florecimiento de otras tantas ideas. Es el mes del equinoccio y el del comienzo de la primavera que cantan poetas y músicos. Es también el mes del nacimiento, imposible que pase inadvertido, de don Benito Juárez García.

El 21 de marzo del 2006 celebramos, atentos y jubilosos, el doscientos aniversario de su natalicio. Y así, volvemos a recordar los pasajes de la vida de ese extraordinario zapoteca de la Sierra, del que tenemos noticia desde el momento en el que podemos presumir de poseer cierto uso de razón.

Comenzamos profesándole una ternura inspirada por los pasajes bucólicos que se suceden en el escenario de una laguna encantada, y que con devoción nos cuentan los profesores de las escuelas de nivel preescolar. Luego, seguimos sorprendiéndonos con su temprano aplomo, aquel que se preocupan en inculcarnos los maestros de los primeros años de Primaria, convirtiendo así la ternura y la sorpresa en una natural admiración.

Ya para concluir el sexto año, a la admiración le acompaña un arraigado respeto por Juárez, pues a estas alturas de nuestras vidas ya sabemos —y nos lo hemos explicado con múltiples elementos de juicio— sobre varios pasajes de su apasionante, azarosa y ejemplar vida política en los que su comportamiento, juntos siempre acción e intelecto, hizo de él, de Benito Juárez García, un paradigma, un verdadero líder y maestro y, sobre todo, un clásico de la ética indisolublemente ligada a la práctica política.

Enseguida, en el transcurso de la enseñanza preparatoria y de los años de estudio en la carrera profesional, creemos ejercer un ideario político, científico y filosófico —por cierto ideario al que el mismo Juárez contribuyó para que lo adquiriéramos— de tal manera que nos disponemos a discutir su historia y su legado político. Algunos, en este intento, han caído en una inadecuada falta de respeto hacia el personaje. Los más, sin abandonar el aprecio que por él hemos cultivado, le debatimos aprendiendo a apreciarlo aún más, en la medida en la que constatamos que era un personaje extraordinario sin dejar de ser sencillamente terrenal.

¿Qué si Juárez tenía otras pasiones, además de la política? ¿Qué si llegaba a equivocarse y hasta ser en algún detalle mezquino? ¿Qué si se le antojaba llorar? ¿Cambiaría nuestra esencial valoración?, creo que no. Juárez seguirá siendo la encarnación más lograda del verbo y de la acción cívicos. El estadista, el inquebrantable, el apacible, el sereno, "ante la victoria y ante la muerte". No dejaría de ser nombrado el benemérito, el coloso, el gran indio, el amantísimo esposo. El distinguido masón, el inmortal, el gran reformador. Aquel que nunca buscó "los lauros de la gloria".

Conocerlo en su dimensión humana no hubiera evitado, a pesar de que le llamaron jacobino, anticatólico y algunos hasta antiindígena, que en casi todos los pueblos de México con el nombre de Juárez se nombra ya sea una calle principal, un barrio, una colonia o el centro cultural más importante del lugar. Allí están una ciudad y un puerto Juárez, señalando los confines de la república; son puntos de avanzada o son reductos, son atalayas o son faros. Hoy su efigie está lo mismo en el centro sociopolítico neurálgico de los Estados Unidos de Norteamérica, como en un parque central de La Habana, Cuba.

Hemos concebido a Benito Juárez García como republicano por excelencia, antiimperialista y como el fundador del Estado Mexicano moderno. Al familiarizarnos más con la historia universal y con la historia de México, entendemos que Juárez pudo haber alentado la desamortización de los bienes eclesiásticos y el término de los privilegios del clero vinculado al poder militar y político, sin que por esto fuera ateo, furibundo anticlerical y antirreligioso. Entendemos que Juárez pudo mirar con buenos ojos la propiedad privada, sin que el impulso y el respeto a ésta significara ir directa o indirectamente, con su gobierno, en contra de la propiedad comunal de los pueblos indígenas.

Si se dieron casos en nuestra historia, durante la Reforma y posteriormente, que contradijeron —así haya sido parcialmente— el régimen juarista, seguramente sus causas estuvieron en aquellos factores o intereses que irremediablemente también eran componentes del Estado; los representados por los privilegiados para los que Juárez también gobernaba, al mismo tiempo que construía la nación. Muchos miembros de estas clases creyeron ver la oportunidad no sólo de aspirar a los bienes de manos muertas del clero, sino también despertaron su avidez las tierras comunales a las que ellos consideraban ociosas.

Juárez ha llegado a ser una de las partes fundamentales de nuestra nación, el gran mito y la enorme leyenda, no sólo por la labor glorificadora de los gobiernos de la república. Juárez ha llegado a ser eso y muchos otros significados, porque desde el ámbito de la memoria histórica colectiva no es posible reprocharle así, sin más tal o cual comportamiento fuera de contexto. El pueblo que lo deifica y lo respeta, el mismo que se enorgullece de él, más si es su coterráneo, es el mismo pueblo que tolera que en círculos infantiles irreflexivamente digan chanzas a su persona. O que alguno de los adultos de este pueblo, al escenificar manifestaciones populares en pro de demandas laborales o civiles, invoquen diciendo: "Si Juárez viviera, con nosotros estuviera". Pero este pueblo es incapaz de denostar a Juárez y de impugnarlo en el sentido de haber sido alguna vez antiindígena. Ni la intelectualidad de este mismo pueblo le criticó en este sentido, aun en tiempos de sucesiones gubernamentales en las que en otros aspectos el régimen de Juárez fue muy discutido. O sea, cuando lo llamaron caudillo.

Me atrevo a afirmar que Benito Juárez mantuvo a tal respecto, la credibilidad, ya que no olvidó nunca su condición histórica original que era la indígena, aunque su reinserción y movilidad sociales le hayan permitido llegar a la misma presidencia de la república. Para apreciarlo en esta esencia no necesitamos tener fe y creer sin criticar todo lo que de él nos han dicho desde los parvularios hasta la universidad. Sencillamente tenemos que saber cuál fue su época, cuáles las clases sociales que se enfrentaban y convivían y el porqué de lo que sucedía. Cómo pensaban y cómo vivían. Quiénes eran los conservadores y quiénes los liberales. Cuáles las Logias y sus programas políticos. Cuáles sus hechos o actos de gobierno. Cuáles sus alianzas y sus desencuentros. Cuáles eran sus vidas contradictorias. Cuáles su moral y su ética.

¿Cómo se formó el carácter de un personaje como Juárez, incapaz de incubar percepciones y sentimientos que en la vida pública llegaran a convertirse en medidas políticas en contra de aquéllos de su misma sangre, de su propia raza, de su innegable linaje? Busco auxilio en la prosa del historiador Raúl Mejía Zúñiga para clarificar mi apreciación. Repaso su obra *Benito Juárez y su generación* y encuentro estas referencias:

"Indio de la Sierra de Oaxaca, a los once años Juárez no sabía leer ni escribir, ni conocía el castellano. Huérfano de padre y madre desde los cuatro años, se dedicó a la vida del campo al lado de su tío. Desalojado de los campos por la miseria, marchó a la capital del estado, donde inició su vida en la cultura del siglo XIX, principiando con el alfabeto para ingresar después al Seminario Conciliar de la Santa Cruz, donde cursó latinidad, filosofía y teología..."

Comenta Mejía Zúñiga que ésta es la simiente de aquél en cuyo alrededor se agrupó la brillante generación que continuó el torrente ideológico de sus antecesores José María Luis Mora, Juan Álvarez, Valentín Gómez Farías. Me refiero a sus aliados, compañeros y colaboradores Guillermo Prieto, Miguel Lerdo de Tejada, Santos Degollado, Manuel Doblado, Ignacio Ramírez, Melchor Ocampo, Porfirio Díaz, José María Iglesias, Sebastián Lerdo de Tejada, Jesús González Ortega, Francisco Zarco, Leandro Valle, Ignacio Zaragoza, Ignacio Manuel Altamirano, Joaquín Baranda y Matías Romero. Personajes todos ellos que se agregaban a los efectos estimables que también moldeaban el espíritu de Juárez, me refiero a los Maza, a los Parada, a los García, a los Santacilia, a los Castro, por ejemplo.

Es relevante que Mejía Zúñiga trascienda el encanto del sortilegio, sin demérito del vigor que puede tener la fantasía y que cambie a la oveja extraviada por la miseria ancestral del campo mexicano, como causa de la huida del pequeño Benito Pablo, dirigiéndose del arrinconado Guelatao hacia la ciudad de la promisión que cree ver en la mítica capital oaxaqueña, donde una hermana suya se desempeña como sirvienta, —"criada"— en la casa de una familia acomodada.

Continúo mi búsqueda y hojeó algunas páginas de Guillermo Prieto, antologadas por el escritor Carlos Monsiváis, tratando de encontrar algún atisbo de ladinismo en el gran Patricio Mexicano, y lo que encuentro es un pasaje que me emociona y conmueve. Es aquél del momento crucial en el que unos soldados enemigos embriagados del odio y la perturbación antirrepublicana, se apostan para lanzar su descarga asesina sobre el pecho de Juárez y de sus acompañantes.

Dice Prieto: "Como tengo dicho, el Sr. Juárez estaba en la puerta del cuarto; a la voz de 'apunten', se asió del pestillo de la puerta, hizo hacia atrás su cabeza y esperó... Rápido como el pensamiento, tomé al Sr. Juárez de la ropa, lo puse a mi espalda, lo cubrí con mi cuerpo... abrí mis brazos... y ahogando la voz de 'fuego' que tronaba en aquel instante, grité: 'Levanten esas armas! ¡Los valientes no asesinan...!' Y hablé, hablé, yo no sé qué hablaba en mí que me ponía alto y poderoso, y veía entre una nube de sangre, pequeño todo lo que me rodeaba; sentía que lo subyugaba, que desbarataba el peligro, que lo tenía a mis pies... a medida que mi voz sonaba, la actitud de los soldados cambiaba... un viejo de barbas canas que tenía al frente, y con quien me encaré diciéndole: '¿Quieren sangre?, ¡bébanse la mía...!' Alzó el fusil... los otros hicieron lo mismo..."

"...los soldados lloraban, protestando que no nos matarían y así se retiraron como por encanto... Juárez se abrazó a mí... mis compañeros me rodeaban llamándome su salvador y salvador de la Reforma... mi corazón estalló en una tempestad de lágrimas".

Acudo a la obra de Alfonso Reyes, a la parte que tengo a mi alcance que es una buena antología y en la que hallo un poema fúnebre pronunciado ante la tumba de Juárez el 18 de julio de 1906.

Este es un fragmento:

> ...tal como, al alba, la luna se licua en el lácteo
> vano, tal palidece de súbito el cándido Maximiliano.
> Vengan de lejos las gentes cantando los innumerables
> himnos; los nobles proyectos rememoren los bélicos años;
> emprendan la danza pírrica los adolescentes amables;
> yérganse rotas banderas; oigan hasta los extraños;
> el trueno de júbilo y gloria de nuestro festejo sonoro;
> luzcan de día los astros sus cinco fulgores de oro;
> presida la sombra de Píndaro en el triunfo de los gladiadores;
>
> —¡Io Peán! Los oráculos aconsejan el canto, cantores!—
> y ancianos y adultos y niños celebren el aniversario,
> los unos callados, los otros disertos, los otros locuaces.
>
> La pulsación de la tierra se agita; en el ímpetu
> agrario se revela empujando los tallos, y las fieras están voraces
> y los pájaros gritan y asordan. Nosotros, vestidos
> los ánimos de orgullo y respeto, traemos hasta el
> montón funerario la vieja oración que aprendimos,
> los votos, el hereditario ritual. Y los prístinos
> manes de los abuelos magnánimos oigan la misma plegaria,
> presente de labios paternos.

—¡legado común y tesoro, vigor de la raza! Nosotros
nos damos al gozo franco que, como los ritmos eternos,
año por año renace, prende en amor a los potros,
conmueve las ansias dormidas, revela las fuentes oscuras,
sopla lujuria en la selva, quema las castas cinturas
—oh, primavera— y abruma el aire de polen, de frutos
los árboles, bulle los gérmenes, atiza el fecundo calor;
y año por año nos rinde, para servir los tributos
en las calendas de julio, una cosecha de amor.

Y no encuentro el estigma. No doy con la insinuación aquella de que alguna vez don Benito le falló a su gente o se puso en contra de ella. Pero aún no es suficiente. Consulto a Fernando del Paso, escudriño en sus *Noticias del Imperio,* grandilocuente intento de novela total, en la que la voz de Carlota, la viuda de Maximiliano, habla por casi todos aquellos que creyeron en la aventura del imperio y en el entierro de la república.

Estas son algunas de las referencias sobre Juárez que se hallan aquí. Dice Carlota: "La otra vez soñé... el otro día que daba yo a luz a un niño que tenía la cara de Benito Juárez.

"¿Quién vio, quién recuerda lo feo que era Benito Juárez, lo valientes que fueron los soldados franceses triunfadores de magenta y solferino, quién, dime, recuerda lo verdes que eran los ojos del traidor López? Sólo la historia y yo, Maximiliano."

Habla ahora, el mismo Del Paso:

"Vestido siempre de negro, con bastón y levita cruzada, don Benito Juárez leía y releía a Rousseau y a Benjamin Constant, formaba con éstas y otras lecturas su espíritu liberal, traducía a Tácito a un idioma que había aprendido a hablar, leer y escribir, al mismo tiempo, como en el mejor de los casos se aprende siempre una lengua extranjera, y comenzaba a darse cuenta de que su pueblo, lo que él llamaba "su pueblo" y al cual había jurado ilustrar y engrandecer y hacerlo superar el desorden, los vicios y la miseria, era más, mucho más que un puñado o que cinco millones de esos indios callados y ladinos, pasivos, melancólicos, que cuando era gobernador bajaban de la Sierra de Ixtlán para dejar en el umbral de su casa sus humildes ofrendas: algunas palomas, frutas, maíz, carbón de madera de encina traídos de los cerros de Pozuelos o del Calvario. Pero para otros, para muchos, Benito Juárez se había puesto una Patria como se puso el levitón negro; como algo ajeno que no le pertenecía, aunque con mucha diferencia: Si la levita estaba cortada a la medida, la Patria, en cambio, le quedaba grande y se le desparramaba mucho más allá de Oaxaca y mucho más allá también del siglo en el que había nacido".

Continúa Fernando delineando el perfil que varias manos le conformaban a Juárez, y agrega:

"A pesar también de haber sido aplicado alumno del Seminario de Oaxaca cuando antes de decidirse por la abogacía deseaba ser cura, y de haber jurado al protestar como gobernador de Oaxaca por Dios y por los santos evangelios defender y conservar la religión católica, apostólica y romana y de encabezar sus decretos con el nombre de Dios Todopoderoso, uno en esencia y trino en persona, Benito Juárez —a quien Salanueva le había enseñado lo mismo los secretos del arte de encuadernar catecismos Ripalda, que el respeto y la veneración al nazareno del vía crucis que todas las tardes de todos los días pasaba frente a su casa— siendo presidente de la república confiscó los bienes de la iglesia mexicana, abrogó todos los privilegios del clero y reconoció a todas las religiones. Por esta osadía, Juárez fue considerado por los conservadores mexicanos y europeos, y desde luego por el Vaticano y por el Papa Pío Nono, futuro creador del dogma de la inealibiblidad pontificia, como una especie de anticristo."

"Por no saber montar a caballo, ni manejar una pistola y no aspirar a la gloria de las armas, se le acusó de débil, asustadizo y cobarde. Y por no ser blanco y de origen europeo, por no ser ario y rubio como que era el arquitecto de la humanidad superior, según lo confirmaba el Conde Gobineau en su "Ensayo sobre la desigualdad de las razas humanas" publicado en París en 1854, por no ser, en fin, siquiera un mestizo de media casta, Juárez, el indio ladino, en opinión de los monarcas y adalides del Viejo Mundo era incapaz de gobernar a un país que de por sí parecía ingobernable."

El historiador Jesús Monjarás Ruiz, en su estudio titulado "México en 1863, testimonios germanos sobre la intervención francesa", producto de sus pesquisas en algunas bibliotecas alemanas, nos brinda elementos de juicio que ayudan a conjurar la visión maniquea cernida sobre Juárez. Ayuda a desmentir el infundio de que Benito Juárez no vaciló en es-

pecular con dos provincias mexicanas ante los norteame-
ricanos para recabar fondos para su causa.

Por otra parte, en una carta publicada en el suplemento
321 del diario *Allgemeine Zeitung* en noviembre de 1863, se
daba cuenta de que los indios al querer calma y orden y libe-
rarse de las cargas impositivas y del servicio militar obli-
gatorio, no dudaban en adherirse a los franceses y al gobierno que éstos sostenían, lanzando proclamas en sus propias
lenguas, como aquella atribuida a Faustino Galicia Chimal-
popoca, supuesto descendiente de un Principal en tiempos
de Moctezuma. Así también nos dice que en un "Retrato de
Juárez" publicado en ese mismo suplemento, a los lectores se
les hacía ver que: "Juárez es un descendiente directo de los
antiguos pobladores de México". El "Retrato", que, no obstante estar salpicado de evidencias racistas, en general dibu-
jaba una imagen de Juárez alimentada por cierta admiración,
terminaba con estas frases:

> "En el deslumbrante palacio de los antiguos virreyes españoles
> vive ahora nuevamente un descendiente de los primeros domi-
> nadores de México; mas no como señor, sino como protector
> de la libertad e independencia de su país. Puebla ha caído;
> pero el que los franceses logren aniquilar a la república mexi-
> cana... eso es de dudarse".

Firmaba solamente W. Bl.

Confiando siempre en que las voces más lúcidas y críticas
de este país nos pueden ayudar a resolver nuestros enigmas,
invoco a Carlos Pellicer Cámara, y de la antología en la que
reúne al Che Guevara y a Juárez, conjugando el aprecio y la
veneración que por estos dos titanes americanos sentía, ex-
traigo estos versos que dedicó al Benemérito de América.

> México entró en el ámbito de tu ambición redonda
> bajo del cielo indígena tu destino fue andar.
> La historia a cada sol vio cómo se desfonda
> todo el pantano infame que te quiso atajar...
> "sobria de barro indígena la verdad de tu vida
> tuvo niñez de espigas y maduró en maíz.
> Ganaste tu destino por la oveja perdida
> y le diste a los árboles una nueva raíz.

Eres el presidente vitalicio, a pesar de
tanta noche lúgubre. La República
es mar navegable y sereno si el
tiempo te consulta.

En lugar de abocarse a la sospecha de que hubo un Benito Juárez marcado por la señal de Caín, de nuevo encontra-
mos una loa y un tributo a la persona y a su papel. No hace
mucho el Instituto de Artes Gráficas de Oaxaca (IAGO), publicó un cuaderno que recoge algunas de las caricaturas
hechas en la época de Juárez y entre ellas otras tantas dirigidas
a ridiculizar al presidente Juárez. En sentido estricto, no en-
contramos ninguna que se ensañara con nuestro personaje y
que hiciera alusión al tema controvertido.

Con la ya reiterada intención repaso también algunas páginas de la producción literaria de Andrés Henestrosa. De
ella, transcribo lo siguiente:

"Benito Juárez no era un intelectual, ni un artista, sino un
hombre de acción y de pensamiento y sus escritos no fueron
otra cosa que el presagio y el corolario de sus acciones. En sus
manos, como ocurre frecuentemente en los ideólogos y políticos de América, la pluma es un instrumento de creación, no de
recreo. Era un instrumento civilizador exclusivamente, con la
misma eficacia de un machete, bueno para podar las ramas
estorbosas..."

Indagué también en los perfectos sonetos del poeta Francisco Hernández Domínguez, y de su "Llamado al bronce",
desprendo estas verdades:

"¡Oh, Juárez! Que los ámbitos escombre la arcilla de mi lengua
mexicana...

"En ti hablaron indemnes tradiciones de la raza de bronce
no vencida.

Bajo el yugo de antiguas vejaciones...

"...nos dejaste un ideal, lo han profanado, los que nunca
supieron de trincheras, del sudor en la fiebre del sembrado, del
cansancio en las horas jornaleras,

"los que elevan incienso a los extraños y son eco de voces
extranjeras

"que predican la 'paz' y los engaños, con la ignominia en la
conciencia humana y convierten los pueblos en rebaños..."

¿Acaso podría existir un antecedente de la contradicción de Juárez con los indígenas en otros documentos que no fueran los de contenido historiográfico o literario? ¿Podría haber una separación entre el puño y la letra de las proclamas, los decretos y los dictados y con el discurso juarista?

Mateo Solana y Gutiérrez, al emprender la configuración de la psicología de Benito Juárez, nos remite al episodio de la amarga experiencia vivida por Juárez en Loxicha. El destacado humanista nos relata:

"El episodio del pueblo de Loxicha (Oaxaca) fue en el albor de su carrera, cuando era Juárez litigante y descubrió el abuso de esas prerrogativas eclesiásticas a costa de los indios pobrísimos, estancados en los villorrios comarcanos.

"Al defender Juárez a los indios agobiados, en Loxicha, surgió intempestivamente en su alma la reivindicación de los humildes con la abolición de exacciones en tributos decretados por el clero.

"Sabemos el incidente violento de Juárez con el párroco airado, que lo llevó a la cárcel valiéndose de intrigas pueblerinas.

"Entonces Juárez vaticina el futuro, el advenimiento de las Leyes de Reforma al decir al montón estrujado de los campesinos de Loxicha: Ya vendrán leyes que acabarán con estos tributos que pesan sobre el pueblo. Fue profético y sagaz".

En este breve recuento de la vida y la acción política de Benito Juárez, con el objeto de desenredar la historia y encontrar las causas para la coincidencia o para la discrepancia del pensamiento juarista con los indígenas y con sus derechos, hemos dejado para el final el somero análisis de la obra del geógrafo historiador Jorge L. Tamayo que sobre Juárez realizó para aquella antología que publicó la UNAM y, por supuesto, el repaso de algunos de los documentos más relevantes de la literatura política del célebre indígena oaxaqueño.

El profundo estudio que de los documentos, discursos y correspondencia de Benito Juárez, efectuó don Jorge L. Tamayo, así como el rigor académico y la coherencia política que le caracterizaron serían suficientes, si no para aceptar sin vacilaciones sus juicios, sí para tomarlos muy en cuenta en la valoración de don Benito Juárez.

El capítulo que dedica a éste en el octavo tomo de sus obras, es un sistemático balance de lo hecho y de lo dicho por Juárez, del que se desprende su justo aquilatamiento como el fundador de la sociedad civil y del Estado Mexicano modernos, cuya obra civilizadora no se planteó construir sobre las ruinas de la sociedad antigua indígena ni sobre la desarticulación de sus arraigos comunales.

El acto público de Derecho de 1829, su papel como regidor en el Ayuntamiento de 1831, su defensa de los indígenas de Loxicha en 1834, la Ley de Administración de Justicia en 1855; su papel como diputado; la reorganización de la justicia que emprendió; su revelación contra la leva; los actos de su gobierno, en 1856, y sobre todo la obra pública impulsada, serían suficientes para ensalzarlo. Sin embargo, la defensa de la república que hizo en contra de los conservadores monárquicos de adentro y de afuera engrandece la dimensión de la acción gubernamental y civilista.

Desde que en los *Apuntes para mis hijos,* nos describe su genealogía diciéndonos que sus padres y sus abuelos provienen de "la raza primitiva del país", de la "nación zapoteca", Juárez nos está indicando la constante que es en él la claridad sobre sus raíces, sobre sus identidades y deberes.

Teniendo la capacidad de ubicarlo debidamente en su época y en su tiempo, luego de haber conocido su trayectoria y su pensamiento, no podemos concebir que su proyecto de nación y de república entendiera a los indígenas como un obstáculo para su realización. Juárez buscó ciudadanizar al indígena sin desarraigarlo de su pueblo, de su comunidad y de su tierra.

Ahora, que son tiempos de dudas y de deudas, de revitalización de la participación del clero abiertamente en la política; de otros abusos y de amenazas o de injerencias imperiales modernas; de rebeldías indígenas de diferentes signos, de reavivamiento de los intereses y de las preocupaciones en torno al Istmo de Tehuantepec, no podemos evitar volver la mirada hacia ese periodo de nuestra historia conocido como la Reforma. Y no podemos dejar de pensar en Juárez. Las acechanzas de hoy son, o las mismas o muy semejantes a las que a él le tocó vivir y enfrentar. A nosotros, los de la generación del 68, que fuimos marcados por Tlatelolco, nos toca probarnos ante las mismas adversidades en esencia pero con distinta expresión ahora, a las que acosaron a Juárez. Hemos aprendido a conservar su legado, libres de toda mitificación y de toda infundada irreverencia.

Ahora, sabemos que él ponía de por medio todo su talento

para construir una nación en la que el gobierno republicano fuera soberano, civil, antiintervencionista y que procurara el bienestar para todos, incluidos los indígenas. Buena parte de su proyecto civilista y republicano lo recogemos. Ahora, nos toca enriquecerlo conforme a los intereses de las mayorías de esta época, la nuestra, en el principio del siglo XXI.

JORGE MACHORRO FLORES

OAXACA, OAX., MARZO DE 2005.

Epígrafes

Los buenos hijos de México, combatiendo solos, sin auxilio de nadie, sin recursos, sin los elementos necesarios para la guerra, han derramado su sangre con sublime patriotismo, arrostrando todos los sacrificios, antes que consentir en la pérdida de la república y de la libertad.

"En nombre de la patria agradecida, tributo el más alto reconocimiento a los buenos mexicanos que la han defendido y a sus dignos caudillos. El triunfo de la patria, que ha sido el objeto de sus nobles aspiraciones, será siempre su mayor título de gloria y el mejor premio de sus heroicos esfuerzos. Ha cumplido el gobierno el primero de sus deberes, no contrayendo ningún compromiso en el exterior ni en el interior, que pudiera perjudicar en nada la independencia y soberanía de la república, la integridad de su territorio o el respeto debido a la Constitución y a las leyes. Sus enemigos pretendieron establecer otro gobierno y otras leyes, sin haber podido consumar su intento criminal. Después de cuatro años vuelve el gobierno a la ciudad de México, con la bandera de la Constitución y con las mismas leyes, sin haber dejado de existir un solo instante dentro del territorio nacional. Que el pueblo y el gobierno respeten los derechos de todos. Entre los individuos, como entre las naciones, el respeto al derecho ajeno es la paz."

Benito Juárez
15 de julio de 1867.

Tenéis razón en creerme con vosotros.

"No os hace la guerra Francia: es el imperio. Estoy con vosotros, vosotros y yo combatimos contra el imperio; vosotros en vuestra patria, yo en el destierro.

Luchad, combatid, sed terribles, y si creéis que mi nombre os puede servir de algo, aprovechadle. Apuntad a ese hombre a la cabeza con el proyectil de la libertad.

"Valientes hombres de México, resistid.

"La república está con vosotros y hace ondear sobre vuestras cabezas la bandera de Francia con su arco iris y la bandera de América con sus estrellas.

"Esperad. Vuestra heroica resistencia se apoya en el derecho y tiene en su favor la certidumbre de la justicia.

"El atentado contra la república mexicana continúa el atentando contra la República Francesa. Una emboscada completa la otra. El imperio fracasará en esa tentativa infame, así lo creo, y vosotros venceréis. Pero ya venzáis o ya seáis vencidos, la Francia continuará siendo vuestra hermana, hermana de vuestra gloria y de vuestro infortunio; y yo, ya que apeláis a mi nombre, os repito que estoy con vosotros; si sois vencedores, os ofrezco mi fraternidad de ciudadano; si sois vencidos, mi fraternidad de proscrito.

Victor Hugo
Abril de 1863.

Los hombres que se levantan cuando se desploma un mundo sobre su cabeza, son los hombres mayores de la historia. Vencido, abandonado de América, maldecido por una teocracia que quiere a toda costa conservar sus perecederos bienes; entregado al extranjero por una turba de traidores; extendida la espada del primer imperio de Europa sobre su frente; puesta la bayoneta de los zuavos en su pecho; acompañado de generales ineptos o serviles; representante de una raza decaída; jefe de un pueblo sin esperanza; Juárez no se rinde al destino, y severo e inflexible se levanta, en medio de las ruinas, como la personificación sagrada de la república y de la patria.

Un republicano de la antigüedad, un hombre de Plutarco tampoco hubiera comprendido esta grandeza. Después de la batalla en que se libraba la suerte de las leyes, en aquella triste noche de Filipos, Bruto, el último romano; Bruto, que había llevado su amor a la libertad hasta el olvido de todo sentimiento, cuando los soldados de los triunviros le cercan, de rodillas, a los pies de un esclavo, le pide la muerte; y al sentir el acero en su corazón y espirar, como el cielo sonriera sereno y los astros brillaran tranquilos cual si nada triste sucediera en la Tierra, exclamó:

"Virtud, nombre vano, engañosa palabra; ¡ay!, esclavo del destino, y he creído en ti", grito de desesperación, que es el grito último con que se despide para siempre del mundo de la república romana. Pero Juárez, hombre de nuestro siglo, creyente en la eficacia de la libertad y en la virtud de la ley del progreso, mantiene en sus manos los últimos jirones de la bandera de la república, porque sabe, en medio de sus desgracias, que los tiranos pasan, los tiranos perecen, y la libertad no puede morir mientras Dios presida el movimiento de la historia.

"Es imposible que haya habido un hombre más firme en sus convicciones ni más dispuesto a desafiar la adversidad."

Emilio Castelar
15 de abril de 1867.

Salve, valeroso pueblo de México. ¡Oh!, yo envidio tu constante y enérgica bravura para arrojar de tu bella república a los mercenarios del despotismo. ¡Salve, oh, Juárez!, veterano de la libertad del mundo, de la dignidad humana. ¡Salve! Tú no desesperaste de la salvación de tu pueblo, a pesar de la multitud de traidores; a pesar de la fuerza unida de tres imperios, a pesar de las artes, de la nigromancia, siempre pronta a asociarse con la tiranía.

"El pueblo italiano te envía un saludo de su corazón, un recuerdo de gratitud por haber revolcado en el polvo a una hermana de su opresor."

José Garibaldi
Mayo de 1867.

¿**C**ómo diablos se le ha ocurrido a usted compadecer a Maximiliano y a Carlota? ¡Dios mío! Sí, lo sé perfectamente; esas gentes son siempre encantadoras. Hace cinco o seis mil años que son así. Tienen la receta de todas las virtudes y el secreto de todas las gracias. ¿Sonríen ellos? Es delicioso. ¿Lloran? Es conmovedor. ¿Le dejan a usted vivir? ¡Qué exquisita bondad! ¿Le aplastan a usted? Una simple desgracia de la que ellos están exculpados. Todos esos emperadores, reyes, archiduques y príncipes son grandes, sublimes, generosos, soberbios; sus princesas son lo que queráis, pero yo les odio con un aborrecimiento sin misericordia como se odiaba en el 93, cuando al imbécil de Luis XVI le llamaban excecrable tirano. Entre nosotros y esas gentes hay una guerra a muerte. Ellos han hecho morir, entre torturas de todo género a millones de los nuestros, y apostaría a que nosotros no hemos matado a más de dos de ellos. Verdad que es mucha la imbecilidad humana, pero ellos se encuentran a la cabeza y, como tales, es a ellos a los que hay que mirar. Yo no tengo ninguna piedad para esas gentes; compadecer al lobo es cometer un crimen con los corderos. Ese archiduque quería cometer un verdadero crimen; y aquéllos a quienes quería matar le han dado muerte a él. Me siento encantado. Su esposa está loca. Nada más justo. Esto casi me hace creer en la Providencia. ¿Fue la ambición de esa mujer la que empujó a ese imbécil? Si siento que haya perdido la razón, es únicamente porque no puede darse cuenta de que su marido ha muerto por ella y que ignore que México es un pueblo altivo que sabe vengar las ofensas. Si Maximiliano no ha sido sino un instrumento, su papel es aún más vil, sin que por ello sea menos culpable. Diréis que soy feroz e intratable; pero mi opinión es ésta. Y sabed que no pienso cambiar en lo más mínimo. Creedme: todas esas gentes son iguales y se apoyan unas a otras. Benito Juárez está en lo justo...

Georges Clemenceau
(Carta del 6 de septiembre de 1867).

EL CONGRESO DE LOS ESTADOS UNIDOS DE COLOMBIA DECRETA:

Art. 1°. El Congreso de Colombia, en nombre del pueblo que representa, en vista de la abnegación y de la incontrastable perseverancia que el señor Benito Juárez, en calidad de presidente constitucional de los Estados Unidos Mexicanos, ha desplegado en defensa de la independencia y libertad de su patria, declara que dicho ciudadano ha merecido el bien de la América, y como homenaje a tales virtudes y ejemplo a la juventud colombiana, dispone que el retrato de este eminente hombre de Estado sea conservado en la Biblioteca Nacional con la siguiente inscripción:
"BENITO JUÁREZ
CIUDADANO MEXICANO
El Congreso de 1865 le tributa, en nombre del pueblo de Colombia, este homenaje por su constancia en defender la libertad e independencia de México".

Art. 2°. El Poder Ejecutivo hará llegar a manos del señor Juárez, por conducto del ministro de Colombia residente en Washington, un ejemplar del presente decreto.

Art. 3°. En el presupuesto que ha de votarse por el Congreso para el año económico próximo, se incluirá la cantidad suficiente para que el Poder Ejecutivo pueda dar puntual cumplimiento al presente decreto.

Dado en Bogotá, a primero de mayo de mil ochocientos sesenta y cinco.

El presidente del Senado de Plenipotenciarios.—Victoriano de D. Paredes.

El presidente de la Cámara de Representantes.—Santiago Pérez

El secretario del Senado de Plenipotenciarios.—Juan de D. Riomalo.

El secretario de la Cámara de Representantes.—Nicolás Pereira Gamba.

Bogotá, dos de mayo de mil ochocientos sesenta y cinco.

Publíquese y ejecútese.—Manuel Murillo.

El secretario de lo Interior y Relaciones Exteriores.—Antonio del Real.

2 de mayo de 1865

Presente la mayoría compuesta del presidente Juan Bautista Zafra (periodista, exsecretario de Estado), y los diputados Carlos Nouel (historiador y político), Pedro Valverde, Antonio D. Madrigal (exsecretario de Estado), Jacinto de Castro, Melitón Valverde (doctor, exsecretario de Estado), Manuel M. Castillo (exsecretario de Estado), Wenceslao de la Concha (político), Deogracia Linares, Faustino de Soto, Telésforo Objío (prócer de la Independencia), Álvaro Fernández, Ramón Mella, Olegario Pérez y Juan Bautista Morel (exsecretario de Relaciones Exteriores), se declaró abierta la sesión...

"Luego el diputado Madrigal tomó la palabra y dijo: que ponía en conocimiento de la Cámara la plausible noticia recibida últimamente, de que Juárez acababa de conseguir un espléndido triunfo, dando un golpe de muerte al imperio en mala hora fundado en México; que el presidente Juárez por este hecho se hacía acreedor a los vítores de toda la América, pues que destruyendo para siempre la preponderancia de Europa en este hemisferio, mataba cuantas esperanzas de dominio pudiera ésta abrigar en lo sucesivo; que al llamar la atención de la Cámara sobre este hecho, era con objeto de que el Congreso dominicano, por su parte, aclamase a Juárez *Benemérito de la América;* que la República Dominicana estaba en aptitud para ello y podía tomar la iniciativa, dando así el ejemplo a las demás repúblicas, sus hermanas, que quisiesen mostrar sus simpatías por la causa de la libertad de México, a la que no dudaba debía seguirse la de toda la América de uno a otro extremo.

"El diputado Melitón Valverde habló en el mismo sentido, demostrando que acogía con entusiasmo la idea emitida por el diputado Madrigal.

"A invitación de la Presidencia, que puso de manifiesto la identidad de causa en que se hallaban México y Santo Domingo, la Cámara toda se puso en pie en honor del presidente Juárez, aplaudiendo de este modo el triunfo de la causa republicana en México y tomando en consideración lo propuesto por el diputado Madrigal..."

(Tal el acta de la sesión del 11 de mayo de 1867 del Congreso de la República Dominicana, al declarar *Benemérito de la América* al presidente de la república mexicana, abogado Benito Juárez. Igualmente se debe recordar que el presidente de la República Dominicana, Gral. José María Cabral, fue quien sancionó y publicó tal decreto de homenaje al prócer mexicano.)

México no yerra; y se afianza y agrega, mientras se encona y descompone el vecino del norte. Juárez, el indio descalzo que aprendió latín de un compasivo cura, echó el cadáver de Maximiliano sobre la última conspiración clerical contra la libertad en el nuevo continente. Él, el tabaquero de Nueva Orleáns, el amigo pobre del fiel cubano Santacilia, el padre desvalido de la familia que atendía en Oaxaca la pobre tendera: él, con los treinta inmaculados, sin más que comer maíz durante tres años por los ranchos del norte, venció, en la hora inevitable del descrédito, al imperio que le trajeron los nobles del país. Por cierto que es poco conocida una anécdota auténtica de un cacique indio por aquellos días. En México, como en Guatemala y en Chile, hay indios puros que no se han rendido jamás. Sus caballos son águilas y sus ojos son flechas. Caen como una avalancha, lancean el aire y desaparecen. A lo lejos se ve, por entre la polvareda, el dorso del jinete echado sobre el potro, y la línea del monte. El general Escobedo, que luego había de prender en Querétaro a Maximiliano, andaba en apuros por la frontera y fue a tratar con el cacique libre y a pedirle su ayuda contra el emperador. "¿Y por qué, cacique de dos colores —le respondió el indio— me pides que te ayude en una guerra que no es contra mí? Tus blancos trajeron a ese blanco barbón; peléenla tus blancos. Tú te sometiste; echa a tu amo tú. Yo no me sometí; yo no tengo amo."

Y ésa es, en verdad, el alma de México, que hace bien en deshelar como deshiela ahora, la raza india, donde residen su libertad y su fuerza; ésa es la luz que se ve brillar en los rostros de blancos, y de mestizos y de indígenas; ésa la que brilla sobre los pabellones que cuelgan del balcón y sobre el traje de cuero de los rurales invencibles, y sobre la insignia que las mujeres ostentan en el pecho el día en que, juntos los hijos de los marqueses y los léperos, van los mexicanos a cubrir de flores y a honrar virilmente con la pasión indómita de su independencia, el monumento hecho de manos mexicanas donde la patria llora abrazada a los pies del cadáver del indio Juárez. ¡Hasta ahora no había América —hasta que los marqueses lloran por el indio! ¿Qué hablan los ignorantes de los pueblos de nuestra América? Estudien y respeten. Cada año es más entusiasta en México el día 18 de julio. Y es que la tierra mestiza anuncia al mundo codicioso que ya es nación el indio solo de los treinta fieles, que, con meterse por el monte a tiempo, salvó la libertad y la América acaso; porque un principio justo, desde el fondo de una cueva, puede más que un ejército. Es que México ratifica cada año ante el mundo —con su derecho creciente de república trabajadora y natural— su determinación de ser libre. Y lo será, porque domó a los soberbios. Los domó Juárez, sin ira.

El 18 de julio estará colgada de banderas la ciudad, las estatuas de bronce y las casas de azulejos. Los niños de las escuelas marcharán, como soldados. Las niñas vestidas de blanco, llevarán al mausoleo del indio, ramos de flores. El pensamiento y la riqueza de la ciudad irán a pie a la tumba, detrás del Presidente que prepara el país híbrido para la república leal y sensata. Las mujeres hermosas de Puebla y Guadalajara, de Monterrey y Veracruz, aplaudirán a los marciales "cuerudos", a los soldados fieles a la libertad. El sol republicano caerá del cielo azul. Y brillará, como si fuera de luz, el monumento que, con sus manos flacas de ético, labraba, al sol de la mañana, el mexicano Islas, de barba rubia. La mano sudorosa podía apenas blandir el cincel; y él, pálido de la muerte, golpeaba, de pie ante el mármol, mientras duraba el primer sol. "Me durará la vida hasta que le acabe la figura a mi salvador." Y le duró.

José Martí
14 de julio de 1894.

Juárez fue uno de esos hombres fuertes de alma, igual a sí propio y a la altura de su misión siempre —lo mismo en las tempestades que en las treguas, lo mismo en la derrota que en la victoria—. Su inteligencia tuvo errores, pero su voluntad no padeció flaquezas. Por eso fue el conductor del pueblo. Sin púrpura, sin espada, sin corcel guerrero, sin casco refulgente, sin los atavíos sangrientos y fascinantes de un Alejandro que arrastra a las multitudes a la hecatombe, Juárez, con su democrático frac de magistrado, hombre de ley y de paz, humilde y tranquilo, se puso frente a la agresión y a la traición con una sola arma en sus manos omnipotentes; ¡el derecho! En esta lucha el emperador francés representaba la barbarie y Juárez representaba la civilización. La pobre cabaña de Guelatao venció en dignidad, en honor, en humildad, al trono brillante de Versalles. En el reino de Dios, que es el reino de la justicia, Juárez es grande y Napoleón es pequeño. El continente europeo se estremeció de horror cuando el castigo nacional puso de rodillas a Maximiliano frente al cuadro de Querétaro; y, ¡oh, ironía!, Europa hubiera aplaudido con regocijo si el enemigo cuelga a Juárez como un bandido. ¡Y este bandido, señores, Europa ya lo sabe y lo dice, era la ley, era el derecho, era la justicia, era la patria sacrosanta!"

Jesús Ureta
(Del discurso del 21 de marzo de 1906 en Chihuahua.)

El fallo de la opinión extranjera fue tan parcial como el de sus compatriotas, reflejándolo con rayos ora de resplandor, ora de reprobación. En Francia, la República, restaurada por la comuna, dio amplias satisfacciones para el Imperio y reconoció la deuda que tenía contraída con el patriota mexicano. "Nos enseñó cómo vencer, cómo expulsar al extranjero, cómo castigar al usurpador; no hemos aprovechado la lección, pero debemos respetar al hombre que nos la dio." Inscripción amarga que colgar en la corona fúnebre, pero el laurel se mezclaba con la mirra. "Fue aquel indio, aquel hombre de leyes, quien asestó el primer golpe a la fortuna insolente del hombre de diciembre, y las balas que mataron a Maximiliano en Querétaro, penetrando el pecho imperial, acabaron con el prestigio del Cesarismo, que cogió a Francia en los lazos del golpe de estado. Al entregar su espada al rey de Prusia, en Sedán, el emperador no tenía más que un fragmento que darle: Juárez la había roto." "Tal fue ese republicano que por sí solo acabó con dos emperadores", decía otro ramo de olivo dulceamargo. "No podemos querer a un hombre cuyas grandes cualidades se han manifestado contra Francia; pero debemos honrar, cualesquiera que hayan sido sus errores, a un patriota que rechazó la invasión y del que todos dijeron que no se nos hubiera arrancado la Alsacia y la Lorena si hubiéramos tenido a un Juárez." Del aroma del sauce salía la savia vivificadora invocada por el difunto en pro de los dos pueblos. Guirnalda redundante, el desagravio era tan abundante como lo fue el agravio...

Ralph Roeder
(De Juárez y su México)

Juárez es un símbolo de México. Después de tres siglos de servidumbre, un hijo auténtico de esta tierra personificó ante todas las naciones la expresión de nuestra soberanía. Infundió confianza en su propio valer a todos nuestros compatriotas y, en particular, a quienes, como él, eran de humilde origen. Su imagen encarnó la presencia del mexicano en la historia y su memoria es razón de esperanza para nuestro pueblo.

"Cuando los problemas que afronte el país parezcan arduos e intrincados, cuando las discrepancias amenacen la paz de las conciencias y, por confusión, pensemos que están cerrados todos los caminos no volvamos la mirada a otros horizontes, que no son nuestros y que nada o muy poco pueden enseñarnos: pensemos en Juárez y volvamos la mirada a Guelatao."

Luis Echeverría
(Del discurso en Guelatao, Oax., el 21 de marzo de 1970.)

Juárez y la niñez

SALUDO INFANTIL

Ilustre padre de la patria mía,
Tú, de todos sus hijos el más bueno,
El que más apurara la agonía
Al ver su pabellón lleno de cieno,
Tú, modelo de honor y de hidalguía.
Que lleno de virtud y de fe lleno.
Supiste así vencer con tu constancia
La aspiración innoble de la Francia.

Hoy que la patria te saluda ufana
Y que gloria por doquiera se pregona,
Hoy que en mil ecos la nación indiana
Himnos de amor a tu virtud entona;
Por mi mano tus sienes engalana
Y a su nombre te ciño esta corona:
Ella es de tu virtud el premio solo,
La cual se canta ya de polo a polo.

Acéptala señor. Enternecidos
Tus amigos del alma te la ofrecen;
Tus amigos sinceros, que hoy henchidos
De placer y entusiasmo se estremecen
Al ver que entre héroes mil esclarecidos
Tus glorias inmortales resplandecen:
Por esto te la ofrecen este día.
Y con ellos, señor, la madre mía.

Y que jamás, jamás de tu memoria
Puedan borrar el tiempo y la distancia
Este día, el más grande de tu historia
¡Y de vergüenza más para la Francia!
Y para conquistar completa gloria,
Jamás olvides a la tierna infancia:
Protégela cual padre dulce y bueno
Y de mil bendiciones serás lleno.

Anónimo

La reseña de las festividades organizadas para recibir al Benemérito el 15 d julio de
1867, consigna la gran manifestación en su honor. Un grupo de niñas, en tal acto se
acercó al señor Juárez y le colocó una corona de laurel; otra de estas mismas niñas leía
entretanto los versos del anterior "Saludo Infantil". Nada más hermoso que este
homenaje al presidente Juárez, hombre de vida privada intachable, y padre, dentro del
hogar que compartió con la señora Maza, de varios hijos.

EL BESO DE LA PUREZA

Tu grande gloria y tu victoria han sido
vencer al que jamás fuera vencido...

NIÑA LUISA BAZ

Según la crónica del soldado, periodista y poeta Pantaleón Tovar, el dístico anterior iba
bordado en un pañuelo donde también lucía el águila de nuestra bandera; pañuelo que
fue obsequiado por la niña Luisa Baz al patricio restaurador de la república, don Benito
Juárez, en el banquete ofrecido a éste el 15 de julio de 1867. Podemos titular esta
bellísima composición, certera en su brevedad, "El beso de la pureza".

ALBA Y OCASO

I

Allá en la sierra de Ixtlán
celosa como ninguna,
mecióse la humilde cuna
de aquel glorioso titán
que a través de mil azares
defendió los patrios lares.

Este egregio mexicano
se llamó: Benito Juárez.

II

Se rasgan de la noche
los negros terciopelos;
los astros se lamentan
con quejas y con duelos;
la luna esconde, triste,
su rostro inmaculado:
apáganse las luces
en un cielo callado.

La patria le da a Juárez
su bendición postrera;
y sobre el gran patricio
¡extiende su bandera!

ANÓNIMOS

Acostumbran los maestros elaborar algunas composiciones con el objeto, nobilísimo desde luego, de imbuir en la niñez el cariño y la veneración por los héroes. Anónimos, estos momentos del patricio son ejemplos de tal literatura, siendo memorizados sus renglones por los pequeños del primero, segundo y tercer años, indistintamente.

HIMNO A JUÁREZ

Mexicanos que al grito de lucha
el acero aprestáis y el bridón,
hoy que el nombre de Juárez se escucha
afiancemos con él nuestra unión.

Coro
I
Es el nombre de Juárez sagrado
de la patria el emblema grandioso,
es el verbo del indio glorioso,
la expresión de la santa igualdad.

II
Al esfuerzo de Juárez, la patria
vio su código augusto triunfante,
la Reforma, radiosa, imperante,
y a sus pies la invasión imperial.

Quien tal supo legar a su pueblo
ante el mundo expectante, admirado,
en la historia quedó consagrado
para ser como Dios, inmortal.

Coro
III
¡Gloria, gloria, al patricio sin mancha
que nos dio del progreso la norma,
gloria, gloria a la augusta Reforma
y al que fue su esforzado creador!

MANUEL BARRERO ARGÜELLES
Figura en los más populares manuales de poesía y recitado este himno, compuesto por Manuel Barrero Argüelles, evidente educador nacional. Su inclusión en la presente sección obedece al afán de ofrecer varias muestras de cantos, himnos y marchas que abundan en la república y enseñan a la niñez, en su reiteración melódica, a honrar a los próceres; en este caso al gran oaxaqueño. El maestro Barrero Argüelles organizó la letra de su himno acordemente con las notas del Himno Nacional Mexicano.

Mexicanos, al Grande invoquemos
y ante la era sagrada digamos:
¡Juárez, Juárez, tus hijos te amamos
porque patria nos diste y honor!

Coro
IV
El ejemplo que hoy dejas, ¡oh, Juárez!,
será aliento en las horas de prueba,
levantando al gañán de la gleba
para ser un guerrero triunfal...

A tu nombre se encienden excelsos
los ideales del pueblo que te ama,
y es su canto de vívida llama
con que esplende el amor nacional.

Coro
Mexicanos que al grito de lucha
el acero aprestáis y el bridón,
hoy que el nombre de Juárez se escucha
Afiancemos con él nuestra unión.

MARGARITA

Juárez tuvo dos amores
—México y su Margarita—
la esposa egregia y bendita
que soportó los mayores
peligros y sinsabores
por el prócer de más fama
y por lo mucho que ama
a sus doce hijos menores.

Floral ayuda exquisita
—emblema de su bondad—
esta dama fue en verdad
la celeste margarita
que guió a Juárez al progreso.
¡Por esto, con gran decoro,
está escrito en el Congreso
su nombre con letras de oro!

GALILEO CRUZ ROBLES

Entre las composiciones que con mayor donaire interpretan las niñas de México, se encuentran estas octavas a Margarita Maza de Juárez. Su autor es Galileo Cruz Robles, poeta muy estimado en el estado de Chiapas, donde nació en 1887. Galileo Cruz fue médico y mayor del ejército y, orgullosamente, ostentó el título de "veterano de la Revolución"

Tu nombre resuena

¡Oh, Juárez!, tu nombre resuena en un coro
rotundo y solemne, como eco de Dios:
¡lo canta la gloria con lira de oro!,
¡nosotros con himnos fervientes de amor!

Por cuna tuviste la abrupta montaña
que azota el empuje del ronco huracán,
y ahora es más noble tu humilde cabaña
que rico y fastuoso palacio real.

Oscuro plebeyo, dejaste en la historia
grabado tu nombre con rayos de sol...!
¡La patria te debe su triunfo y su gloria
en tiempos nefandos de lucha feroz...!

Entonces, inerme, la patria gemía;
lamentos de muerte vibraban doquier;
la ola de sangre los campos teñía...
¡Tú, en tanto, sereno, luchabas con fe!

Por eso tu nombre resuena en la historia
gigante y solemne, como eco de Dios:
¡con lira de oro lo canta la gloria!
¡nosotros, oh, Juárez, con himnos de amor!

LUIS J. JIMÉNEZ

Contemporáneamente otro maestro, Luis J. Jiménez, logra otra pieza pedagógica que
extraemos de un texto escolar y la cual ha alcanzado el honor de figurar en más de un
manual de divulgación poética. Es otra muestra de la literatura que se consagra a los
niños de México. Sus cuartetas son declamadas, graciosamente, en algunas ceremonias
escolares.

HIMNO A JUÁREZ

¡Viva Juárez!, mil ecos repitan,
porque Juárez la patria nos dio.
Y ya rotas las férreas cadenas
Impotente el tirano partió.

Hoy la patria levanta su frente
do la huella estampara el dolor,
y si aún llora su llanto es tributo
con que Juárez le muestra su amor.

Ya la América entera contempla
al campeón de la santa igualdad.
Y si Europa otro Juárez tuviera,
cantaría también libertad.

MIGUEL MENESES Y ANTONIO VERDUZCO

En plan de franca reconquista del territorio nacional, el presidente Juárez arriba al
estado de Durango en diciembre de 1866. Cuando asistía la noche del 27 del mismo
mes a un teatro, éste se estremeció con las notas del himno en su honor que se
estrenaba. Esto es, de la anterior composición, cuya música fue creación del maestro
Meneses, director de la compañía de ópera, y cuya letra elaboró el Lic. Verduzco.

Himno a Juárez

CAMPANITAS DE FIESTA

Tin, tin, tin,
ya nació un indito,

tin, tin, tin,
se llamó Benito,

tin, tin, tin,
hoy llegó a Oaxaca,

tin, tin, tin,
es ya licenciado,

tin, tin, tin,
lo eligió su pueblo,

tin, tin, tin,
ya es gobernador,

tin, tin, tin,
qué buen luchador,

tin, tin, tin,
es ya presidente,

tin, tin, tin,
hizo nuevas leyes,

tin, tin, tin,
destronó al intruso,
de Maximiliano,

tin, tin, tin,
libertó a la patria,

ROBERTO OROPEZA NÁJERA

Ponemos fin a esta sección con el poema del maestro Roberto Oropeza Nájera, que es otra bella muestra de esa literatura tan amada por la niñez. El gracioso tintineo que precede a cada verso convierte la composición en un breve coro. Su autor nos aclara, desde su libro infantil *Granito de arena*, que su poema se presta tanto para que sea recitado por un solo niño, como para que voces más delgadas hagan las veces de campanitas mientras una garganta más fuerte diga el poético canto al patricio. Contemporáneo nuestro, el maestro Oropeza Nájera nació en 1909.

Campanitas de fiesta

tin, tin, tin,
¡viva don Benito!,
tin, tin, tin,
¡viva el indio Juárez!,
tin, tin, tin,
¡viva la Reforma,
la Constitución!

¡Vivan nuestras leyes!

¡Viva la nación!

La celebración
de la victoria

AL HÉROE

A mi querido amigo Justo Sierra

Patria, ¿miraste inmensa una figura
Abandonar tu capital un día,
Con planta dolorida e insegura?
¿Viste su corazón que se rompía,
Porque ante el mundo parecía que huía?

¿Pudiste escudriñar en aquel pecho
La dureza del cruento sacrificio?
¿Te imaginaste al menos el suplicio,
Que soportó doliente, al ver un hecho
Usurpar el asiento del derecho?

¿Al Boabdil sin bajeza contemplaste,
Que aquí en tu capital al ver de lejos
De extranjeros cañones los reflejos
Triste lloró? Responde, ¿lo miraste,
Y tú también al llanto te entregaste?

¿Lo miraste franquear con honda pena
De la desgracia eterna las jornadas,
Evitando las hordas irritadas,
Cuyo furor bilioso no se llena
Con el llanto y la sangre derramadas?

¿Has visto, patria, esfuerzos más prolijos
Para crearte bravos campeones?
¿Lo contemplaste con los ojos fijos
Llorar innumerables las traiciones
Que le hicieron sufrir tus malos hijos?

¿No lo entreviste vacilante, incierto,
Por el hambre y la sed muriente y yerto,
Cruzar en direcciones encontradas
El impalpable polvo del desierto,
Y ahogarse en sus arenas abrasadas?

MARTÍN F. JÁUREGUI
El Monitor Republicano del domingo 14 de julio de 1867, dio cabida en sus páginas a
estos versos que tienen el sello de verdaderas improvisaciones logradas para recibir
líricamente al Benemérito en la capital, y algunas ciudades de la república. Son debidas
a la pluma del periodista Martín F. De Jáuregui.

¿Lo recuerdas que huyendo de la guerra,
Paróse al fin ante peligro tanto
En el confín postrero de la Tierra;
Y allí con un jirón del sacro manto
De la patria enjugar su acerbo llanto?
¿Lo miraste, qué fuerte, incontrastable
Como el Dios de la fábula se estuvo;
E impotente como él y deleznable
Al invasor allí, por fin detuvo,
No obstante su impotencia miserable?

¿Inmenso al fin lo viste, que surgía
Para vengar la ignominiosa afrenta,
Que el traidor y el extraño te infería;
Cual memoria terrífica y sangrienta,
Que enfrente al asesino se presenta?

Hoy por último, patria, ya triunfante,
¿No lo miras modesto y generoso
Que sólo porque gozas, él gozoso
Aunque se encuentra enfermo y vacilante,
No se entrega a la calma y al reposo?

¿No lo ves, con placer el más profundo,
Con gozo imponderable y sin segundo?
¿No admiras al varón constante y recto?
¿No contemplas a tu hijo predilecto
Fijar la admiración del ancho mundo?

Julio de 1867.

EL GRAN DÍA

La escuadra formidable ya nos deja,
Rápida hendiendo los profundos mares;
En ella la traición por fin se aleja:
Corre veloz los nudos por millares;
Ya sólo se percibe negra ceja:
Ya nada. Levantemos mil cantares.
Ojalá abrieran tumba a su cinismo
Los dioses vengadores del abismo.

Del puro sol los rayos brilladores
Esparcen más calor y dan más vida,
Quebrándose en divinos resplandores,
La patria al recibirlos sorprendida
Olvida del invierno los rigores,
A cuya influencia se creyó perdida.
Y es que antes sólo daba su penumbra
Y que ahora esplendente nos alumbra.

Un torrente de gritos se desata
De dicha, de placer y de contento;
El gozo en los semblantes se retrata,
Y al ruido del cañón (ya no sangriento)
El alma si es posible se dilata,
Y crece el corazón cada momento.
Y es que la libertad por fin impera
En la tierra que un lustro la perdiera.

Por las calles y plazas discurriendo
Todo lo inunda muchedumbre ufana,
Alegre su contento difundiendo;
La ciudad entusiasta se engalana;
En el gran día todo concurriendo
Al recibir la noble caravana,
Con la misma grandeza que tuviera,
Mientras ella valiente combatiera.

MARTÍN F. JÁUREGUI

El Monitor Republicano del domingo 14 de julio de 1867, dio cabida en sus páginas a estos versos que tienen el sello de verdaderas improvisaciones logradas para recibir líricamente al Benemérito en la capital, y algunas ciudades de la república. Son debidas a la pluma del periodista Martín F. De Jáuregui.

Ya cruzan por la calle los valientes;
Al mirarlos redobla la alegría;
Llevan impresa en sus serenas frentes
De infinitos trabajos la agonía;
Pero brilla también y por torrentes
La ventura sin par del *grande día*.
Y de amistad a reanudar los lazos,
Miran abiertos por doquier los brazos.

Viva la libertad, que este momento
Dio en pago de amor siempre bendito.
Poco después besado por el viento,
Del sol al fuego puro e infinito,
Detenido al mirarlo todo aliento,
De todo un pueblo al gigantesco grito,
Enseña inmensa de grandiosa idea,
El majestuoso pabellón ondea.

Otra página grande, que el destino
No borrará con su poder sañudo;
La página que el raudo torbellino
No ha de arrastrar en su trayecto rudo;
Trazo brillante de inmortal camino
Y vivirá radiante, no lo dudo,
En tanto viva México en la historia,
Página inmensa de ventura y gloria.

Julio de 1867.

DOS SONETOS

I

Cuatro años hace que el francés menguado,
A los traidores de la patria unido,
Orgulloso, falaz y fementido,
De esta ciudad estuvo apoderado.

Tres años hace que un austriaco osado,
Por mexicanos viles escogido,
El título a usurpar vino atrevido
De nuestro rey, emperador deseado.

Huyó el francés, rodó el usurpador,
De vergüenza cubiertos y baldón,
Para oprobio, no más, quedó el traidor.

Y hoy ved a Juárez, inmortal campeón,
De libertad y patria redentor.
¡Hosanna a Juárez! ¡Odio a la traición!

J. DE LA PORTILLA

Refieren los diarios de la época, que el paso del caudillo vencedor, de pie en un abierto carruaje, era saludado con flores y aclamaciones, arrojándosele también, desde los balcones, algunos volantes que contenían versos en su honor. Damos a la publicidad extrayéndolos de *El Monitor Republicano* del martes 16 de julio de 1867, dos sonetos rescatados en tal entrada triunfal y debidos a la pluma del señor J. de la Portilla.

II

Plugo al tirano de la inculta Francia,
En su delirio de perenne gloria,
La página de México en la historia
Arrancar atrevido y con jactancia.

Envanecerse pudo en su arrogancia,
De Cortés evocando la memoria,
De que en la empresa lograría victoria,
México débil, México en la infancia.

¡Error funesto! ¡Maldecida influencia!
Tras cinco años de lid, ese tirano
Otro lauro no tuvo en su demencia.

Que ensangrentar el suelo mexicano;
Juárez triunfó, salvó la independencia.
Y en cadalso murió Maximiliano.

IMPROVISADO HIMNO

Coro
Ciña, ciña la heroica corona
Que ha alcanzado sin par presidente
Porque firme, sagaz y valiente
Los principios y todo salvó.

I

¡Gloria a Juárez por siempre repitan
Nuestros hijos por toda la tierra,
Porque supo constante en la guerra
El honor y la fe conservar!
Digno se hizo del nombre de grande
Que en el orbe le dan las naciones:
¡Mexicanos!, marciales canciones
En loor suyo venid a entonar.

(*Ciña*, etcétera)

II

Al confín de la patria retira
Nuestro bello y glorioso estandarte,
Mientras corre en los campos de Marte
Sangre en mezcla de libre y traidor;
Pero el libre la vierte por verse
Sin el yugo extranjero ominoso,
Y el espurio la riega orgulloso
En servicio de intruso señor.

(*Ciña*, etcétera)

MARIANO RAMOS
Para celebrar también la victoria, he aquí el improvisadísimo himno cantado por la compañía del Teatro Hidalgo, la noche del 16 de julio de 1867. Su letra fue publicada por el diario *El siglo XIX,* el 22 de ese mismo mes y año, y se debe, juntamente con su música, al maestro Mariano E. Ramos.

III

Sucumbieron por fin en la lucha,
Ya la causa de imperio no existe,
¿Quién la fuerza y el genio resiste
Del gran Juárez, de México honor?
Vuelve ya con la enseña triunfante,
Mil caudillos con él la rodean,
Y a Benito y demás vitorean
Ciudadanos del pueblo mejor.

(*Ciña*, etcétera)

IV

Los artistas de Hidalgo por eso
Toman parte esta noche en la escena,
Que entusiasta placer enajena
De los libres el leal corazón;
Y apurando su esfuerzo procuran
Saludar al primer mexicano,
Que ha empuñado tan firme en la mano
El invicto y galán pabellón.

Ciña, ciña la heroica corona
Que ha alcanzado sin par presidente
Porque firme, sagaz y valiente
Los principios y todo salvó.

Puebla de Zaragoza
Julio 15 de 1867.

Los poetas del XIX

SEÑOR Y HÉROE

Cayó, se extinguió el fuerte de entre sus grandes hechos,
Su sombra idolatrada con pompa se alzará,
Reflejando del pueblo de Hidalgo los derechos
Orgullo de patriotas, y fe de nobles pechos,
Que infundan a su nombre sublime majestad.

Su nombre fue en las luchas el grito de venganza,
Su nombre en la victoria fue cántico de honor;
Y en medio al infortunio como astro de esperanza,
Augurando un futuro de gloria y bienandanza
De entre las negras nubes surgía su fulgor.

Allí donde pasaba, la patria luz hacía;
De ruinas de tres siglos formó su pedestal,
Y después de la lucha su faz resplandecía
Para el pueblo, que Juárez en su alma se sentía
Grande con sus virtudes y con su fe triunfal.

Sagrado bien del pueblo, sublime independencia,
Ese nombre querido se unió inmortal a ti.
En la borrasca cruda y en medio a su violencia
Era Juárez, ¡oh, patria!, tu voz y tu conciencia,
Era fe en ese pueblo que veis llorando aquí.

No era a usanza del hombre su gloria del talento:
No aspiró nunca al lauro de bravo campeón,
Llamábase el derecho, llamóse el sentimiento
De colocar, ¡oh patria!, tu predilecto asiento
Más alto que el más alto de cuantos mira el sol.

GUILLERMO PRIETO

Nacido en la ciudad de México en 1818, Guillermo Prieto, en su triple actividad de
político, orador y poeta, es el típico representante del romanticismo de aquella época.
Exhuma episodios, leyendas del pueblo o hechos de que fue testigo y hasta actor y los
ofrece en la más sentida prosa, en odas, romances y sonetos de corte clásico. Hizo
popular el seudónimo —"Fidel"— con que firmaba a veces sus escritos. Murió en la
capital mexicana, en 1897.

Cayó como un abismo: sus ondas desbarata
De súbito, y terrible magnífico raudal...
Cayó; pero formando pomposa catarata,
Que antes que desparezca bellísima retrata
Los cielos y las flores y el iris celestial.
Para ti las coronas y el himno de la gloria
Para tu pueblo, ¡oh, Juárez!, en medio a su dolor,
Tu nombre, que es su joya y el lustre de su historia:
Consuelo en sus desdichas, consigna de victoria,
Su lábaro patricio, su símbolo de unión.

TAL FUE JUÁREZ

Nació de la miseria, de su vencida raza
Desecho, abandonado, renuevo sin vigor,
Nació como la yerba que mustia sobrevive
Del implacable invierno al pertinaz rigor.

Nació como atraviesa corriente cristalina.
Maléfico pantano con bienhechora luz;
Y llevaba esa vida como entre arenas de oro
Los gérmenes divinos de honor y de virtud.

Ni pompas ni blasones en el jacal del indio,
Recuerdos del esclavo por donde quiera vio,
Y al sentir en sus carnes los hierros opresores,
Como ave perseguida su vuelo levantó.

Llevaba dolorido como hondas cicatrices,
Los recuerdos del amo, los golpes del poder,
La ausencia del derecho para el que pobre llora,
Lo infame del que manda sin trabas y sin ley.

Sintió en su alma pujanza para luchar constante
Por la justicia santa, por la alma libertad,
Y entonces un *carácter*, la augusta Providencia
En aquel indio oscuro, le dio a la humanidad.

¿Sabéis qué es un *carácter*? ¡Sabedlo!, es que en un hombre
Encarnen como en bronce las leyes del honor,
Y entero a todo embate le oponga resistencia
Sin vacilar un punto su fe ni su valor.

Ni rayos de elocuencia, ni refulgente espada,
Ni en su torno la pompa de augusto emperador,
Ni atlética figura, ni altiva la mirada
De aquel que de otros hombres se encuentra superior.

Esclavo del derecho, custodio de la idea
Que promete a los pueblos los goces y la paz,
Debió sus lauros todos a que llevaba en alto
Como un eterno lema: justicia y libertad.

¿Sabéis qué es un *carácter*? ¡Es dar a los principios
Con la existencia, vida; y aliento con el ser.
Es que ponga en olvido el hombre su bien mismo,
Mirando con desprecio la pena o el placer!

Tal fue Juárez: el pueblo le vio como a esas boyas
Que en las olas perdidas se encuentran en el mar
Y apartan a las naves del formidable escollo
Do airado las empuje la horrenda tempestad.

Flotaba en los naufragios cual tabla salvadora
Que al náufrago promete segura protección,
Que se hunde unos instantes y airosa sobrenada,
Que triunfa de los vientos, que burla su furor.

Tal lo viste, ¡oh, mi patria!, cuando hondas desventuras
Por ti y tu independencia magnánimo arrostró,
Y el sol que iluminaba sus ambiciones puras
Ni un punto, ni un instante fatal palideció.

¡Oh, si!, tales titanes tan sólo se alimentan
Con ínclitas virtudes, con infinito amor
Al pueblo agradecido que ardiente los transforma
En lábarum sagrado de bien y redención.

Juárez la fe en el pueblo representó constante,
Sinónimo de patria su nombre resonó
Y dejó como timbres de inmarcesible gloria,
El culto de los libres y el odio del traidor.

¡Oh patria; oh, tumba ilustre!, conviértete en oriente
De paz inextinguible, de bienhechora luz,
Y difunde en el pueblo que por tu muerte llora
Tesoros de progreso, raudales de virtud.

Rindámosle homenaje, cubramos de coronas
Con reverentes almas, su excelso pedestal,
Y muéstrelo orgulloso, al mundo, cual modelo
Entre efluvios de gloria, de augusta humanidad.

BELLO Y SIN PAR ROMANCE

I

Abre tus alas, ¡oh, musa!
¿Oh, musa!, agita tus alas
Y dile a tus *valedores*
Que no se envejece el alma,
Que si el huracán sacude
Con furor la vieja palma
Entonces es cuando goza,
Entonces es cuando canta,
Mientras se doblan rastreras
Y temerosas las plantas.

Como desastroso incendio
Crece con la lluvia escasa
Aunque de pronto parece
Que la merma o que la apaga,
O como débil barrera
Que un punto enfrena las aguas
Y logra sólo reunirlas
Y reunidas se disparan
Sobre el muro que sucumbe
Y rendido se anonada;
Lo mismo contempló Juárez
La rota de Salamanca;
Y voy a contar el cuento
Porque contarlo me agrada.

II
EL PALACIO

En la capital famosa
Del estado de Jalisco
Mansión del poder supremo,
Hay un extenso edificio
Vulgar, cuadrado, de piedra,
Ni elegante ni conspicuo,
La Catedral le domina,
Hay soportales vecinos
Y una plaza ancha y alegre

Bien poblada de continuo.
El interior del palacio
Es cual caserón antiguo
Con sus amplios corredores,
Pavimento de ladrillo
Arcos ya en alto, y los bajos
Deshabitados y limpios.
Allí se ofreció al gran Juárez
Noble y generoso asilo;
Puso allí sus oficinas,
Vivía con sus ministros
Como en familia, modesto,
Teniendo trabajo asiduo.
En el fondo del Palacio
Se hallaba sin distintivo
Largo salón con tres naves
Por columnas dividido,
Y al frente una plataforma
Con dosel y muebles finos,
Que es el Tribunal Supremo
Aquel venerado sitio.
La plataforma a sus lados
Deja ver dos cuartos chicos
Donde están las oficinas
Del tribunal ya descrito.

III

Son las diez de la mañana,
La guardia estaba tranquila,
La servidumbre se ocupa
En hacer la policía,
Los unos barren y riegan,
Otros los caballos limpian,
Algunos soldados bruñen
La pieza de artillería,
Que como que cierra el paso
Del gran patio a la salida,
Y que como una ascua de oro
Con el sol de marzo brilla,
En largo y angosto cuarto

Que daba a las oficinas
Por un lado y por el otro
A la habitación contigua,
El prólogo del gran drama
Que voy a narrar principia.

IV
NOTICIA, MOTÍN, PRISIÓN

Delante de una ventana
Cubierta de toscos vidrios
Que alumbraba un mal bufete
Y unos sillones antiguos,
Presidiendo está el gran Juárez
Su Consejo de Ministros;
Y los aires que llevaban
De la derrota los ruidos
Los escuchaba confiado
Sin dar de inquietud indicios,
Ocampo leía en calma
Un voluminoso escrito;
León Guzmán meditaba
Muy flaco y muy enfermizo
Y Prieto junto a Cendejas
Parecía estar dormido.
De pronto cual si del muro
Le saliera de improviso,
El letrado Camarena
Gobernador de Jalisco,
Se puso en medio a la sala,
Firme, mas descolorido,
Y con voz sorda y terrible
Al señor Juárez le dijo:
—¡Alerta! Señores todos
Que se ha pronunciado el 5°
Un cuerpo al mando de Landa
Y por Núñez garantido,
De leal e incorruptible,
De Juárez sostén y amigo.
—Vaya Núñez, dijo Juárez,

Al cuartel—, y el manuscrito
Continuó leyendo Ocampo
Como el propio Juárez frío.
En tanto llega un correo
Que lleva oficial aviso
Del revés de Salamanca
Con detalles aflictivos.
Hay algunos de los cuerpos
Que a la defensa están listos,
Juan Díaz el esforzado,
Contreras Medellín vivo,
Antonio Álvarez y muchos
Que con sentimiento omito,
Con las guardias nacionales
Está Cruz Ahedo, caudillo
Del pueblo que nunca pierde
Al gritar ¡viva Jalisco!

V

EL MOTÍN

Núñez con semblante airado,
Lanzando sus ojos llamas,
A la presencia de Juárez
Vuelve del cuartel de Landa,
Informando que ha encontrado
Amotinada la guardia,
Que rabioso y decidido
Al oficial se abalanza
Que grita "¡Muera el Gobierno!"
Con insolente arrogancia,
Y que entonces siente el golpe
De una inesperada bala
Que en su reloj se encasquilla
Y por eso no le mata,
Dice Núñez: desparece
Y a combatir se prepara,
Juárez sin dejar su aplomo,
A Melchor Ocampo manda

Que dé lectura de nuevo
Al parte de Salamanca.
Entonces con voz tranquila
Dijo impasible, "Esto es nada
Han quitado a nuestro gallo
Una pluma:* Prieto, marcha
A escribir un manifiesto
Que diga que esta desgracia
Robustece nuestro esfuerzo,
Vigoriza nuestras almas,
Y adelante, y adelante
Sin que nada nos retraiga
De arrancar a la victoria
Sus laureles y sus palmas:
Vamos a almorzar, señores,
Que la mesa nos aguarda."
Entre tanto del Palacio
Se relevaban las guardias
Cuando retronante grito
Clamó vibrante "¡A las armas!
¡Mueran los *puros* malditos!
¡Viva la Religión Santa!"
Y la sangre tiñe el suelo
Al retronar las descargas;
Combates de cuerpo a cuerpo,
Cuerpos caídos, cuchillos
Embestidas furibundas,
El delirio, la matanza
Se agolpan en el estrecho
Que le da al Palacio entrada,
Del motín a la noticia,
La cárcel desamparada
Que del Palacio un tabique
Insuficiente separa,
Deja escapar a los presos
Que se descuelgan con reatas,
Y que el motín encrudecen
Con sus furias y su saña;

*Histórico

Se oye el romperse de muebles
Con estrepitosa zambra,
Los ayes de los heridos,
Los gritos de los que manda,
Y es remedo del infierno
Aquella gresca satánica.
Prieto que estaba a la puerta
Del Palacio cuando estalla
El motín, retrocediendo
Detrás de un pilar escapa.
Más serenado el tumulto
Y a pesar de que encontraba
Fácil salida, fue a un cuadro
Do los rebeldes estaban,
Y dijo: "Soy el ministro
De Juárez, pido por gracia
Seguir su suerte, y la suerte
De aquellos que le acompañan."
Apenas oyen su nombre,
Los rebeldes le maltratan,
Le hieren y por los suelos
Enfurecidos le arrastran
Hasta llevarlo con Juárez
Que prisionero se hallaba
En el salón espacioso
Que estaba frente a la entrada,
Y que Corte de Justicia
Los del pueblo le llamaban.
En la ciudad populosa
Cunde rápida la alarma,
Como torrente de fuego
De pólvora entre montañas
Cual si sobre el heno seco
Cayera lluvia de brasas,
Corre apartada la gente,
Claman guerra las campanas,
Y Cruz Ahedo furioso
Corre impávido a la plaza;
Un estudiante Molina
Acreedor a eterna fama,

De un cañón apoderado
En su empresa le acompaña;
Los *mochos* al ver la fuerza
Se trastornan y se espantan,
Y que fusilen los presos
Con furia y resueltos mandan;
Pronto se alistan las tropas
Que donde está Juárez marchan
Con un Filomeno Bravo,
Con un Moret y un Pegaza
En calidad de verdugos
De aquella sentencia bárbara.
Eran ochenta los presos
Que en carrera atropellada
En un cuarto se guarecen,
Del fondo de aquella estancia,
Se oye el marchar de la tropa,
Ya se acercan las pisadas,
Los prisioneros tras muebles
Y tras puertas se resguardan,
Quedando sólo en el quicio
De la puerta entrecerrada,
Juárez de pie y sin moverse
Como de mármol estatua,
Y Prieto también inmóvil,
Sobresaliendo a su espalda.
La tropa detiene el curso
Y frente a Juárez se para,
—¡Alto!—, ronco grita el jefe,
Y hay un silencio que espanta:
En semicírculo entonces
La tropa forma una valla
Y quedaron los tres jefes,
Cuidando la retaguardia.
—Presenten, preparen... ar...
Apunten...— y al decir fuego
Prieto a Juárez se adelanta
Cubriéndolo con su cuerpo
Y ciego de horror exclama:
—¡¡Los valientes no asesinan!!

¡¡Eh!!... levantad esas armas—
Y habló... y habló... con vehemencia
Sin recordar las palabras.
Que son tan sólo pretextos
Si de veras habla el alma.
Atónitos oyen todos,
La tropa las armas alza,
Y de los nobles soldados
Se vieron correr las lágrimas
La formación destruyendo
En marcha desordenada.
Juárez, Ocampo y los presos
En tropel a Prieto abrazan,
Que se sentía gigante,
Y de cierto no era nada
Sino un ... oscuro instrumento
Con que Dios salvó a la patria.

Agosto 17 de 1896.

GRAN ROMANCE

I

Pisó la familia enferma
La tierra veracruzana,
Y entre vivas de contento,
Y entre estrepitosas salvas,
Las *jarochitas* nerviosas
De *cachirulo* y mascadas;
Y sus gruesos tabaquillos,
Las negras más descocadas;
De la nacional milicia
No se diga ni palabra,
Que era una hoguera brillante
Por lo valiente y lo guapa.
Como en procesión entramos
Al relumbrar de las hachas,
Redoblando los tambores,
Repicando las campanas,
Y agolpándose la gente
A mirar a los que pasan.
Iba el primero, el gran Juárez,
A quien Zamora acompaña,
Y a quien adoraba el pueblo
Porque era muy grande su alma.
Manuel Ruiz, ministro enclenque,
Detrás de Juárez marchaba,
Con León Guzmán, que ufano
En su brazo se apoyaba;
Seguía la comitiva
De la gente más granada;
Agitaban sus pañuelos
En los balcones las damas,
Y nos arrojaban flores
Por puertas y por ventanas.
Así los recibió alegre
La bien preparada casa
En Puerta Merced famosa
Con esmero preparada.

II
INTIMIDADES

Instaláronse en la casa
Que fungía de palacio,
Ocampo y Prieto reunidos,
Y Juárez en otro cuarto
Que por su facha modesta
Y su ausencia de aparato
Era para el camarista
Sin duda predestinado.
Estaba la azotehuela
Vecina, vecino el baño
Con otros departamentos,
Que mentarlos no es del caso,
Juárez sólo se servía
Por no molestar al criado.
Al despertar con el alba
Tomaba frío su baño.
Lo mismo en Paso del Norte
Que en Veracruz abrasado,
Levántase con la aurora
Juárez y el agua sobrante
De la cara y de las manos
Sacaba en una bandeja
Con el mayor desenfado,
Cuando topó con la criada
Que tenía encomendado
El gobierno de la casa,
Que era negra de alto rango,
Con la malicia en los ojos,
Los retobos en los labios,
La ligereza en el cuerpo,
Y lo manola en el garbo.
Y ésta del desconocido
Oyendo la voz de mando,
Le dijo casi con ira
—¡Habrá indio más igualado!
El agua lleve si quiere
Yo no sirvo a los lacayos—.

Juárez, humilde, en silencio,
Tiró el agua y volvió al baño,
El arranque de la negra
Con sonrisa celebrando.

III
EL ALMUERZO

A la hora del almuerzo,
Y de Juárez en espera,
Ministros y convidados
Se formaron en la puerta,
Y detrás de aquella valla
Está esperando la negra
Quién sería el Presidente
Para darle preferencia;
Ya se fijaba en Ocampo
Y le hacía horrenda mueca,
Ya en Guzmán, mostrando dudas,
Por su traje y cara enferma;
Ya en mí, a quien todos trataban
Con confianza y con llaneza.
Oyóse ruido de pasos,
Sale un hombre de las piezas,
Todos con gran compostura
Le hacemos la reverencia;
Y la negra soltó un grito
Emprendiendo la carrera,
Éste, le grita: "Petrona"
(nombre de la heroína nuestra).
—No me detenga *crijtiano*,
Déjeme usted que me muera,
Porque no hay mujer más bruta
En toditita la Tierra—.
Juárez serenó a Petrona
Refiriéndonos su anécdota
Y de cariño y confianza
Le dio repetidas muestras.
Aquello mostró, de Juárez,
La bondad y la modestia,

Que eran entre sus virtudes
Sin disputa las primeras
Columnas en que estribaba
Su indisputable grandeza.

Diciembre de 1896.

MARGARITA MAZA DE JUÁREZ

Bello su rostro, inmensa su ternura,
a la hora del placer desparecía;
más derramando el bien, resplandecía
en momentos de prueba y amargura.

Al herirla implacable desventura,
la familia, en su seno, guarecía
como ave amante que polluelos cría,
del halcón desafiando la bravura.

En medio del poder, de lauros llena,
su pobreza sublime recordaba,
de vil jactancia y vanidad ajena,

y del regio palacio desertaba
para aliviar solícita la pena
del que en miseria y soledad lloraba.

LUZ Y HOMENAJE

Cuando en hondo letargo sumergido
tranquilo el mundo duerme,
y el cielo oscurecido
cual velo funeral, cubre a la inerme
naturaleza augusta; cuando ruge
conmoviendo los aires, pavoroso
el eco de los bronces, tu sombría
mansión deja un momento,
arcángel del dolor, y el arpa mía
ven a templar con lúgubre armonía;
dale a mi voz tu gemebundo acento,
acércame tu copa que han colmado
las lágrimas de un pueblo consternado
y en tanto cunde la funesta nueva
que el viento en las alas de la muerte lleva,
mi labio tembloroso
en fúnebre cantar mi labio ensalce
del que es orgullo de mi heroico suelo,
y resuene distante,
desgarrador, cual grito de agonía
entre la nueva y la caduca gente,
del mundo de occidente
a las índicas playas se levante.

La tempestad rugió, su negra mano
desató el huracán, y donde un día,
mientras el Golfo hervía,
las fuertes naves de Cortés se hundieron,
sobre gigante armada,
la horrible faz y su sangrienta espada
alzó otra vez la odiosa tiranía,
débil la patria y mísera gemía
y en su angustiado duelo

JOSÉ PEÓN CONTRERAS

Poeta y dramaturgo, José Peón Contreras fue ejemplo viviente de hombre consagrado a las letras en el apacible último tercio del siglo XIX. Sus obras teatrales le dan fama y notoriedad, dejando al morir la herencia de su talento a su hijo, José Peón del Valle, que figura también en este florilegio. Peón Contreras nació en Mérida, Yuc., en 1843, y murió en la ciudad de México en 1907. Publicamos su bello poema a Juárez, que es casi una improvisación lograda en los días que siguieron a la muerte del gran estadista.

clavando en Guadalupe
bajo el azul del cielo,
el padrón de las libertades
en Dios los ojos fijos

opuso el fuerte muro
del valor indomable de sus hijos.

Tronó el cañón rugiendo,
del monte en las herbosas soledades,
y huyó el tirano en fuga vergonzosa
dejándole por timbre a las edades
el eterno laurel de Zaragoza.

Otra vez aguerrido a nuestra puerta
se presentó el atleta de la Europa
con sus airadas huestes y, ¡ay!, entonces
levantado contra ella,
¡patria infeliz! El poderoso brazo
de los altivos reyes,
tornó la vista a un hombre, acongojada,
y "allí tienes", le dijo,
"allí tienes mis fueros y mis leyes"
y se nubló con llanto su mirada,
"Guárdalos —prosiguió—, de ese coloso
y trecho a trecho mi heredad defiende:
Cede sólo a la fuerza, la victoria
será del vencedor, pero la gloria
fue siempre del vencido
cuando con firme y generoso pecho
guarda su ley, su honor y su derecho:
cuando la voz de su conciencia escucha,
cuando su fuerte espíritu no doman
ni los reveses de azarosa lucha;
cuando sonriendo muere
ante el altar de un pueblo independiente,
que no ha sabido ni forjar cadenas
ni esclavo en ellas doblegar la frente."

Enmudeció la patria, y esforzado
Juárez, baluarte de la santa creencia,
consagró su existencia
a velar el depósito sagrado
hasta que altivo un día
si palmo a palmo abandonó sus lares
palmo a palmo también con noble encono
tornó con ellos valeroso y fuerte,
y derribar en su camino un trono,
de las frías cenizas de la muerte
que esparciera en su estrago la metralla
sobre los rojos campos de batalla,
se alzó serena, libre y soberana
el águila triunfal republicana.

Todo pasó. Desapareció el coloso
que en un carro de triunfo soñó un día
arrastrar por el fango ignominioso
los laureles de Hidalgo y de Morelos.
También despavorida la tormenta
bajando de los cielos
lo envolvió en impetuoso torbellino
y se nubló la estrella que en Magenta
brilló y en Solferino
y que el olvido y el baldón espera.
Juárez, a ti las dulces bendiciones
de la innúmera gente venidera.
Él vive aún... y ha muerto!
Tú nunca morirás! De la justicia
eternamente en tus cenizas arda
la viva antorcha que tu fe pregona,
la libertad de un pueblo es tu corona
su corazón la tumba que te aguarda.

La patria agradecida,
gloria y eterno galardón te jure
ante tus libres manes soberanos,
y que tu nombre dure
mientras que dure el odio a los tiranos.

México, julio 22 de 1872.

SONETO

Fue su cuna infeliz, pobre cabaña
Su herencia toda, el rústico cayado,
Y huérfano del mundo, abandonado,
Fueron su abrigo el cielo y la montaña.

Súbito resplandor su frente baña
Y en genio inmortal transfigurado
Brilla en cenit eterno, inmaculado
Astro que clara luz del sol empaña.

Alza México, ya, tu egregia frente,
Que una aureola de gloria te rodea:
Y al contemplarte el mundo independiente.

De Juárez aclamar siempre se vea
El alto nombre, y que de gente en gente,
¡Juárez el canto de victoria sea!

JUAN DE DIOS PEZA

Hijo de un connotado conservador, Juan de Dios Peza (1852-1910) sostuvo la tesis del
liberalismo y cantó a su amigo y protector, don Benito Juárez. Aunque fue el poeta del
hogar, de los juegos de sus hijos, Peza celebró en cuartetas de brío cívico la victoria de
1867. Los poemas que transcribimos son clara señal de su entusiasmo juarista.

SERENO EN SU SABER PROFUNDO

Dadle a mi voz del huracán rugiente
El poder no domado y estruendoso,
Que así quiero cantar de gente en gente
las inmortales glorias de un coloso.

Si la muerte, que a todos nos aterra,
Un trono sobre al ancho firmamento
Guarda a los semidioses de la tierra,
Juárez el inmortal tiene ese asiento.

Nacido en el peñón de una montaña,
Bajo el dosel del azulado espacio,
Su alcázar infantil fue una cabaña,
Y el abierto horizonte su palacio.

Por su indígena raza, firme, austero;
Por su oscuro nacer, del pueblo hermano;
La tez de bronce, el corazón de acero,
Griego el pensar, y el alma de romano.

Los más brillantes lauros de la gloria
Estaban a su frente destinados,
Los grandes caracteres de la historia
Estaban en el suyo condensados.

El alma de Catón, el gran civismo
De Leónidas, y de Agis la justicia,
De Temístocles, todo el patriotismo,
De Licurgo el saber y la pericia.

Todo en aquel humilde pequeñuelo
Que en la tierra de Ixtlán pobre crecía,
Como en un arca lo guardaba el cielo
¡Sólo el Dios de los libres lo sabía!

Águila audaz que sobre abrupta peña
Y en muda soledad cuelga su nido,
Cuando más tarde la extensión domeña,
El valle ante tus pies queda vencido.

Así Juárez, así; sin esas galas
Falsas con que la corte irradia bella,
Águila de Anáhuac, abrió sus alas,
Miró a su patria y combatió por ella.

La lucha era terrible; usos y leyes
Íbanse a derrocar; el antro oscuro,
Nido de encomenderos y virreyes,
Iba a crugir con su imponente muro.

Aún vagaba en la atmósfera el aliento
De otras edades a la luz lejanas;
Íbase a desatar el pensamiento,
A dejar el derecho sin cadenas.

Al mirar a aquel hombre que surgía
De las revueltas masas populares,
Grande cual surge el luminar del día,
De las revueltas ondas de los mares.

Rugió la envidia en su furor tremenda,
Y el fanatismo, de rencor eterno,
Sintió, como el Satán de la leyenda,
Odio al Jehová que lo lanzó al infierno.

Juárez, sereno en su saber profundo,
Fija en el porvenir su audaz mirada,
Y ve, como Colón, un nuevo mundo
Entre las sombras de la edad pasada.

A describir sus luchas no me atrevo,
Ante tanta grandeza yo me inclino;
Aquel reformador gigante y nuevo
Tuvo un Gólgota horrible por camino.

A sus guerreros bravos y animosos,
Apóstoles, heraldos, campeones,
Vio morir en cadalsos afrentosos
Entre befa y escarnio y maldiciones.

Y en medio del tumulto y la matanza,
Siendo el derecho su sagrada norma,
Su fe renueva, aviva su esperanza,
Mata el "fuero" y cimenta la "Reforma"

Allí está Veracruz en donde raya
A tal altura ante la patria historia,
Que nuestro mar, rompiéndose en la playa,
Aún parece gritar: "¡A Juárez, gloria!"

Nunca, de aliento ni firmeza falto,
Coronó allí sus grandes ideales...
Águila junto al mar, voló tan alto,
Que humilló el mar al verle sus cristales.

Allí fue tempestad, que con el trueno
Asorda y llena la extensión vacía,
Y con el rayo, de fulgores lleno,
Rompe los muros de prisión sombría.

Más tarde, tres naciones se congregan
Para vencerle y destrozarle unidas;
Cuando a las puertas de la patria llegan,
Las encuentran por Juárez detenidas.

La que se queda sola en el combate
No vence a Juárez, que en burlarla experto,
Lleva, nuevo Israel que no se abate,
El arca de la patria hasta el desierto.

Allí en el llano inculto, en la ribera
Del Bravo que nos guarda y nos limita
Lleva en nómada tienda su bandera,
Y la muerta esperanza resucita.

No la mancilla la facción injusta
En cuyos odios la verdad se estrella;
¡Él salvó el arca de la ley augusta!
¡Con ella huyó, pero triunfó con ella!

Que nada el vuelo de su fama corte;
Todo lo tuvo ese hombre extraordinario:
Sinaí en Veracruz, y allá, del norte
En los desiertos, Gólgota y Calvario.

Pero el Tabor en que brilló su idea
Con eternos y vivos resplandores,
Lo fue toda esa patria, en la que ondea
El lábaro inmortal de tres colores.

La muerte, al arroparlo en negro manto,
Le arrebató de la familia humana,
Pero su nombre ha de vivir en tanto
Haya un palmo de tierra mexicana.

Fue el plebeyo humillando a la nobleza;
Fue el derecho imponiéndose a la historia;
Do acaba el hombre, el inmortal empieza;
Su fama universal se llama gloria.

SALUTACIÓN DEL SUR

Del nuevo César las marciales greyes,
Lanzáronse hacia México, engreídas,
Hollando fueros, conculcando leyes,
A suplantar por vástagos de reyes,
Oh, libertad, tus mieses bendecidas.

La traición, la ignorancia, el fanatismo,
Dieron su mano al pérfido Tiberio;
E hízose el caos, y abortó el abismo,
Y vimos con odioso anacronismo
Levantarse en América un imperio.

Los viejos Andes su nevada cresta
Indignados y tristes sacudieron,
Y el golfo, el mar, el valle y la floresta,
Con el grito de unánime protesta,
La conciencia del mundo estremecieron.
Un lustro transcurrió —Liberticida,
Cerró la usurpación su vil cadena;
Y de aquel pueblo la robusta vida
Vimos, ¡ay!, extinguiéndose a medida
Que circulaba la imperial gangrena.

Pero trepando cúspides y montes,
De Anáhuac por la adusta cordillera,
Atravesando rudos horizontes,
Rodeado de selváticos bisontes,
Seguido por el tigre y la pantera:

HERACLIO C. FAJARDO
Uno de los poetas románticos del Uruguay del sigo XIX, Heraclio C. Fajardo (1833-1874) saluda desde su horizonte austral al presidente de México, empeñado entonces en una heroica lucha por la libertad. Categóricos y briosos los versos de Fajardo, se advierten en sus cuartetas las demandas de superación política y social de todos los pueblos del continente. Comprometido con el teatro e "inspirado en un episodio de la tiranía de Rosas", produce la pieza *Camila O'Gorman*. También interviene, se sabe, en las luchas cívicas de su país, actuando dentro del Partido Colorado y encargándose de la dirección del diario *El Nacional*.

Al lado de la gloria de este hombre
Que el aplauso del mundo inmortaliza,
No hay ya temor, oh, libertad, que asombre
El falso brillo del cesáreo nombre,
Que allende el mar Europa preconiza.

¡Atrás, fantasmas que oprimís naciones
con sangrientos prestigios de juglares,
Los tiempos no son ya de Napoleones,
De Césares ni Agústulos —¡histriones!—
Si no de ¡*Lincoln, Garibaldi y Juárez!*

De los tronos la exótica simiente,
Ya lo veis, en América no medra...
¡Atrás, conquista imbécil e insolente!
Para alzar diques a su audaz torrente,
¡Tenemos brazos, y nos sobra piedra!

No por ser más en bélico elemento
Triunfos y glorias, fáciles celebres:
Si hombres y naves no, nos sobra aliento
Y enemigos te son el clima, el viento,
Los caminos, el vómito y las fiebres.

La libertad, en fin, te arroja el guante
En el cadáver de tú regia hechura:
Si la habida lección no te es bastante,
Manda a otro emperador que lo levante,
Y otra lección tendrás, tanto y más dura.

ODA PATRIA

Cinco de Mayo de 1862

Alcemos nuestro lábaro en la cumbre
Esplendorosa de granito y nieve
Del excelso volcán, a donde raudo
Entre el fulgor de la celeste lumbre
Tan sólo el cóndor a llegar se atreve;
Donde la nube se desgarra el seno
Para vibrar el rayo
Y hacer rodar en el abismo el trueno.
Alcemos, sí, bajo la arcada inmensa
Del cielo tropical y sobre el ara
Diamantina del Ande
El augusto pendón de la victoria,
¡Que aún mereciera pedestal más grande
La enseña de la patria y de la gloria!

¡Oh, santo nombre de la patria!... Escucha
Con tu prestigio inmenso
Esta mi audaz palabra, tan desnuda
De elocuencia y vigor; haz que, vibrante,
Al pie de tus altares se levante,
Y sea la nube del incienso
Ante el ara de Dios; haz que resuene
Potente, y en su vuelo,
Con tu renombre los espacios llene
Y cubra el mundo y se levante el cielo.

Ayer —fugaz minuto que a la historia
Acaba de pasar en las serenas
Y deslumbrantes alas de la gloria—;
Ayer en la ignorada
Cumbre de una colina que ceñía
Una cinta de frágiles almenas
Y pobre artillería,

MANUEL M. FLORES

El poeta más hecho, más logrado del romanticismo mexicano, indudablemente fue Manuel M. Flores (1840-1885). La plasticidad de los paisajes que enmarcan la fogosidad de sus pasiones eróticas, resalta prometedoramente en sus estrofas. Hombre del pueblo, su adhesión a los liberales le lleva a celebrar las victorias de Puebla, de donde era natural el poeta, con el más hermoso entusiasmo. Técnicamente, sin embargo, aparece mejor lograda su exaltación del patricio.

El mexicano pabellón flotaba
Bajo un cielo de brumas,
Como en la frente del guerrero azteca
Rico penacho de vistosas plumas.
De las brisas del trópico... crujía

Mas no flotaba al beso voluptuoso,
Al soplo tempestuoso
De un huracán de muerte, y se tendía
Su lona tricolor, como del iris
Sobre la frente negra de los cielos.
¡La diadema se ostenta
Cuando, huyendo flamígera, sacude
Su melena de rayos la tormenta!

Y era también un iris de esperanza
Aquel sagrado pabellón erguido
Ante el genio feroz de la matanza,
Aquella enseña del derecho herido
Alzándose terrible a la venganza,
Allí el mundo de Colón los ojos
Se fijaban severos, centelleando
De impaciencia, de cólera y enojos.
Y ¡quién sabe! si airadas,
Allá, desde los picos solitarios
De la alta cordillera, silenciosas,
Envueltas en sus pálidos sudarios,
De nuestros héroes muertos asomaban
Las sombras espectrales
Y el Guadalupe atónitas miraban.

¡El Guadalupe!... Ostenta en sus laderas
De la patria las bélicas legiones;
Brillan las armas, flotan las banderas,
Y se mezclan al rodar de los cañones
El toque del clarín, la voz de mando
Y el relincho marcial de los bridones.

Y más allá, cruzando la llanura,
Henchidas de arrogancia,
Tendiendo al sol las alas voladoras,
Las imperiales águilas de Francia
Conduciendo las huestes invasoras.

Las huestes sin rival. En sus pendones
Cien y cien veces derramó laureles
Propicia la victoria;
Soldados favoritos de la gloria,
En los campos de Europa sus corceles,
Han dejado una huella ensangrentada,
Y cien veces sus páginas la historia
Abrió a la punta de su atroz espada.

Ellas son y avanzan... ¡Dios Supremo!
¡Ah! ¿qué va a ser de nuestra pobre tierra
Ante esos semidioses de la guerra?
¿Qué va a ser del soldado mexicano,
soldado humilde sin laurel ni pompa
De esos titanes al tremendo empuje?...

¿Qué va a ser?... Vedlo ya... Suena la trompeta
¡Silba la bala, la metralla ruge,
Se avanzan con furor los batallones,
Se chocan los guerreros,
Se desgarran flotando los pendones,
Crujen tintos en sangre los aceros,
Tiembla la cumbre, tiembla la llanura
Al estruendo mortal de la pelea,
Y de humo y polvo en la tiniebla oscura
El cañón formidable centellea!

¡Terrible batallar! Potente rabia
De insensato furor ebrio de sangre;
Festín de la venganza
En que sólo resuena pavoroso
El salvaje rugir de la matanza;
En que fiera la vida
Se escapa palpitante por la herida

Del corazón indómito, que aún late
Encendido en las iras del combate.
Instante de terror y de grandeza
En que el débil en bravo se convierte
Y se hace león el corazón del fuerte
Y convulsa la vida se desgarra
Y se goza el horror y ríe la muerte!

¡Terrible batallar! ¡Golpe por golpe,
Furor sobre furor, vida por vida,
Y sangre nada más... Allí el renombre
Del francés vencedor y su pericia
Contra el derecho transformado en hombre
Y armado de justicia.
Terribles las legiones,
Cual de la mar las olas turbulentas
Que flagela el furor de las tormentas,
Se encuentran y se chocan y se rompen
Feroces y sangrientas!...

Y ¿es verdad?... ¿es verdad?... Los invencibles
Los que cejar no pueden
Los tigres de Inkermann y Solferino
Aquí, blanca la faz, perdido el tino
Y con miedo en el alma... ¿retroceden?...

¿En dónde está su incontrastable arrojo?
¿En dónde su furor armipotente?
¿Do el llegar y vencer que suyo haría
Inmóvil de terror el continente?
¿Las águilas francesas
No midieron, cruzando el océano,
Cuánto eres, libertad, grande y potente
Bajo el inmenso cielo mexicano?...

Soberbias te arrojaron sus legiones;
¡Y viéndolas llegar, en tu mirada
Las iras del ultraje centellearon!
Relámpagos los golpes de tu espada
El rayo de la muerte fulminaron;
Sangrienta charca abrióse tu pisada,

Nada su rabia de leones pudo.
Y ante tu fuerte escudo,
Ellas... las invencibles... ¡se estrellaron!

¡Y tres veces así!... del Guadalupe
Quedaron las laderas
De pálidos cadáveres regadas,
Y de francesa sangre
Y sangre mexicana, ¡ay!, empapadas.
Y cuando el sol de Anáhuac esplendente
Bajaba al occidente,
El ángel tutelar de la victoria
Voló a arrancarle su postrero rayo.
Bañó con él, de México la frente
Sellándola de gloria;
Y con letras del sol; *cinco de mayo*
Para los siglos escribió en la historia.

Entonces... tú lo sabes, Puebla mía,
¡Oh, Puebla, cuyo nombre bendecido
Ensalzar como quiero nuca supe!...
¡Tu nombre para siempre esclarecido
La Francia lo aprendió en el estampido
Del cañón que tronaba en Guadalupe!

Cayó ese nombre en la soberbia Europa
Con el ruido triunfal de una victoria;
¡Cayó vestido con el ampo de oro
Del sol de mayo que alumbró tu gloria!

Desde entonces, allá abajo el sereno
Dosel de auroras que despliega oriente,
Envuelta en olas de oro por la lumbre
De aquese sol triunfal, y coronada
Con el lauro que el tiempo no destroza,
Del Guadalupe yérguese en la cumbre
La figura inmortal de Zaragoza.

Las águilas francesas que algún día
Tendieron sobre el mundo
Ebrias de triunfo las potentes alas,
Llevando entre sus garras las banderas
Vencidas y hechas trizas
De naciones altivas y guerreras;
Las águilas que guiaron la fortuna
Sangrienta de los fieros Bonaparte
No posaron su vuelo victorioso
Después, del Guadalupe en el baluarte
Y queda allí, soberbio monumento
De patriotismo y gloria,
Vistiendo con la sangre no lavada
La púrpura triunfal de su victoria.

Allí queda a su planta la esforzada
Guerra del Atoyac, Puebla la bella;
La tierra de mi hogar que guarda altiva
Cual cicatrices que la gloria sella,
Sus calles destrozadas.

Sus rotos muros, sus deshechos lares,
Y en pie las ruinas de sus grandes templos
Por la bala francesa acribilladas,
Elocuente padrón del heroísmo
Y del patrio denuedo,
¡Página de la historia
Del mexicano corazón sin miedo!

Allí queda la invicta
Amazona mostrando cual trofeo
La palpitante herida del combate,
Por la cual, ante el sol, como en el roto
Pecho de los guerreros de Tirteo
Se ve el valiente corazón que late.

Allí queda ese fuerte de los libres,
Ante cuyo granito la soberbia
De los nunca vencidos se destroza;
Allí queda ese campo de pelea

¡Donde hollaron las cruces de Crimea
Los cascos del corcel de Zaragoza!
¡Allí quedas, mi Puebla! Y si algún día
Arroja el extranjero
El grito de la guerra a tu muralla,
¡Renueva tu osadía,
Vibra de nuevo el matador acero.
Desata el huracán de la metralla;
Fulmina fiera de la muerte el rayo,
Y la sangre del campo de batalla
La saque aún otra vez la esplendorosa
Lumbre de gloria de tu sol de mayo!

AL SEÑOR DE LA VICTORIA

Como las olas de un mar salvaje
Su presuntuosa y mercenaria tropa,
Sedienta de exterminio y de pillaje
En nuestras playas desbordó la Europa.

Los reyes de ultramar vieron que altiva
La república joven de occidente,
Tras de romper sus hierros de cautiva
Alzó a la luz del porvenir su frente.

La vieron débil, opulenta y bella,
Y con ansia de buitre la desearon,
Y con garra de buitre, sobre ella
A destrozar su seno, se aprestaron.

¿Tú, mi patria, la esclava de los reyes?
¿Tú a la merced de bárbaro extranjero?
¿Tú doblegarte a las inicuas leyes
Que dictara un audaz aventurero?

¡Jamás, mi patria! Con heroico aliento
Álzate noble, y cruja la pelea.
Y que estremezca la región del viento
Este grito no más: ¡La guerra sea!

Y fue la guerra. Oíd el alarido,
El hurra de las bélicas legiones,
Y a la luz del incendio, el estampido
Y el sonoro rodar de los cañones.

Allí está Puebla, donde el polvo muerden
Los hijos de la fama y la victoria;
Franceses orgullosos, que recuerden
Que allí la espada les volvió la gloria.

Que arrancó de la frente de los zuavos,
De una heroica defensa en el ensayo
Para la humilde sien de nuestros bravos
Los laureles magníficos de mayo.

Puebla está allí ¡Después, en su recinto,
Entre el escombro, el humo y la agonía,
Caía el guerrero con la sangre tinto,
Caía muriendo, pero no cedía!

¡Héroes sin nombre, glorias ignoradas!...
Que tanta sangre fraternal vertida,
Tanta negra ceniza, sean lanzadas
Del traidor a la frente maldecida.

Ellos, los Judas, de Caín hermanos,
Se unieron sin rubor al extranjero.
Y aún no se cansan sus nefandas manos
Del sangriento trabajo de su acero.

¡Allí está su obra! El soplo de la guerra
Quema y devora nuestro fértil suelo,
Llanto y sangre no más riegan la tierra,
No hay más que luto, y orfandad, y duelo.

Y mientras todo en derredor humea
Al fuego de los bárbaros combates,
El imperio insolente se pasea
Recogiendo el botín con sus magnates.

¿Y todo es hecho? ¿Y nuestra tierra, suya
Hará por fin el extranjero infame?
¿No hay un poder que su poder destruya?
¿Ya no hay un hijo que a su patria ame?

Sí, vedlo allí. Sus hechos, su memoria,
Ya los guarda la patria en sus altares,
Y el polvo de los siglos, de la historia
Jamás el nombre borrará de Juárez.

Él fue la fe cuando la fe moría;
Cuando nadie esperaba, él esperaba;
Y cuando todo en derredor caía,
Con su grandeza de héroe, descollaba.

Él fue la idea del porvenir sagrada,
Combatiendo al pasado rencoroso;
Diole la libertad terrible espada,
Y diole el pueblo su poder grandioso.

Él fue guardián de nuestras patrias leyes
Él al progreso preparó el camino,
Ciudadano más grande que los reyes
Que frente a frente le arrojó el destino.

Él es la salvación, él quien redime
A la patria infeliz del cautiverio;
Él, el esfuerzo vengador, sublime,
Que en negra fosa derrumbó al imperio.

¡Gloria al que viene en el sagrado nombre
De la adorada libertad proscrita!
¡A él deberás tu dicha y tu renombre,
Patria infeliz del corazón bendita!

Tejed coronas, entonad canciones.
¡Vírgenes bellas de Anahuac, venid!
¡Y al saludo triunfal de los cañones
Su sien modesta de laurel ceñid!

Sobre las ruinas del fugaz imperio
La república altiva se levante,
Y la asombrada faz del hemisferio,
El himno hermoso de los triunfos cante.

Y el águila de México altanera,
Águila soberana, sin corona,
Alce su vuelo a la remota esfera
Do el sol destella su fulgente zona.

Y cubra con sus alas, prepotente,
Al grande ciudadano que en la historia,
Ha grabado su gloria con la gloria
De México ya libre, independiente.

México, 17 de julio de 1887.

ANTE EL CADÁVER DEL HÉROE

Mirad, la patria gime,
Y pálida y doliente,
En el inmenso afán de su amargura
La guirnalda desciñe de su frente
Y al cielo eleva su mirada pura.
Yo en su pensar sublime,
Con santo afán la miro,
El corazón me hiere su quebranto,
Mi suspiro responde a su suspiro
Y mi trémula voz sofoca el llanto.

¡Oh!, deja, patria mía,
Que en esos ecos querellosos
Tristes tus ayes sin cesar resuenen,
Que tus hondos gemidos angustiosos
En fúnebre clamor el viento llenen;
Porque hoy airada, impía,
Gozándose en tu duelo,
Audaz, terrible, la contraria suerte
Viene a ocultar un astro de tu cielo
Tras las sombras oscuras de la muerte.

El hombre valeroso
Que te ciñó de gloria;
El que invocando la justicia santa
Enalteció los fastos de tu historia
Y el cetro destrozó bajo su planta.
El genio poderoso,
El que a la Europa entera
Hizo tu nombre respetar un día,
El que empuñó triunfante tu bandera,
Yace en el polvo de la tumba fría.

JOSÉ ROSAS MORENO

Hombre desinteresado y noble, José Rosas Moreno, el más notable fabulista mexicano,
canta a la niñez en versos inundados de ternura. Su pieza sobre sor Juana Inés de la
Cruz le da rango y categoría de precursor, lo mismo que sus ensayos de teatro infantil,
que fueron los primeros hechos en México. Nació en Lagos de Moreno en 1838 y
murió en la ciudad de México en 1883. Límpidamente exalta el nombre del Benemérito
en el poema que publicamos.

Lívida miro y yerta
La frente que inspirada
Abrigara un gigante pensamiento;
Inmóviles sus ojos, sin mirada;
Su generoso pecho sin aliento.
¡Ay!, de improviso abierta
La tumba fue a su paso;
Mas la tumba no apaga su grandeza,
Que el genio, como el sol, llega al ocaso
Y a otro mundo también su aurora empieza.

¡Héroe inmortal!, tu nombre
No morirá en la historia;
Pasaron ya las rudas tempestades
Y el esplendor eterno de tu gloria
Alumbrará sublime a las edades.
Mientras exista un hombre
Y el patrio amor profundo
Y la santa virtud honrados fueren,
Tu nombre, ¡oh, Juárez!, vivirá en el mundo
Porque nunca los héroes, nunca mueren...

De la pasión impía
El eco clamoroso
Junto a tu tumba ya no se levanta
Y sólo turba el funeral reposo
La noble voz de la justicia santa.
A la cima sombría
Del pavoroso abismo,
El rencor humillado se derrumba
Porque hoy la gratitud, el patriotismo,
Levantan un altar sobre tu tumba.

Humilde y olvidada
Huyendo los honores
Que cercan el poder, guardo mi lira.
Yo nunca he mendigado tus favores,
Que la lisonja vil nunca me inspira;
Nunca ante ti inclinada

Miraste mi cabeza;
Mi labio siempre para ti fue mudo,
Pero hoy que tu sepulcro es tu grandeza
Con sublime respeto te saludo.

Descansa en paz en tanto
Que un pueblo conmovido
Te ofrece de su amor las blancas flores,
Y flota en tu sepulcro bendecido
El bello pabellón de tres colores.
Y plegue al cielo Santo
Que la futura historia
Grande a tu patria y venturosa vea;
Y que cual fue el emblema de tu gloria
Emblema de la paz tu nombre sea.

18 de julio de 1899.

SALUDO PÓSTUMO

Il sortit du néant et gravit les sommets;
Le faible se fit fort: il dompta la fortune;
A son humble destin il dit: Je te soumets!
A son banc d'ecolier: toi, tu seras tribune!

A son obscurité: j'acquerrai la splendeur!...
Et l l'ignorant fut sage: il conquit la science;
Esclave a son berceau, il fut libérateur,
Et son triste taudis devint la Présidence.

ll put ce qu'il voulut. Vouloir c'est donc pouvoir?
Non. ll voulut le bien; il avait l'énergie,
La constance et la foi, le courage et l'espoir,
Et consacra ses jour à sa belle patrie.

ll lutta sans répit contre les coups du sort;
Du martyr, du héros, il obtint la couronne,
Et tour à tour vaîncu, vainqueur... le voilà mort;
En son honneur, vous tous, l'hymne du coeurj'entonne.

ALFRED BABLOT

Nacido en Burdeos, Alfredo Bablot vino muy joven a México, encajando perfectamente en nuestro medio artístico. Fundó en el país *Le Daguerrotype*, que se transformó más tarde en *El Telégrafo*. Bablot introdujo la caricatura política y fundó con Ramírez y Altamirano *El Clamor Progresista*. Fue director del Conservatorio Nacional de Música. Murió en la capital en 1892.

Del seno de la nada hasta la cumbre erguida,
Su paso majestuoso constante dirigió;
Domando a la fortuna, venciendo a su destino,
Su voluntad de bronce de niño pronunció.

Y tú serás tribuna, le dijo al banco humilde;
Las sombras que me envuelven en luz se tornarán,
Yo quiero de la ciencia los mágicos laureles,
Sobre mi humilde cuna la gloria brillará.

¡Lo consiguió luchando! —¿Tan sólo por su esfuerzo?
¡Oh, no! —Porque sus días los consagraba al bien,
Porque a su patria daba su inteligencia y vida,
Y le alentó por siempre su imperturbable fe.

Y mártir y caudillo y héroe y ciudadano
La gloria al fin obtuvo en lucha sin cesar...
El vencedor ha muerto, ¡enmudeced, oh pueblos!
Las notas de mi lira sus hechos cantarán.

(Traducción libre: Gustavo Baz)

CARTA DE MÉJICO

Que cuidara, dijisteis del muchacho. La muerte
se lo llevó. Con él más de uno ha caído.
Tripulación... no queda. Volverán, es sabido,
los menos de nosotros. Es la suerte.

Para un hombre no hay nada como ser marinero,
Todos lo quieren ser en tierra. Y es seguro,
sin las quiebras que tiene. Nada más. Lo primero
ya lo véis: el aprendizaje es duro.

Yo que soy viejo, lloro si lo digo. Daría
mi pellejo, seguros estad, sin discusiones,
por llevaros al chico. Pero no es culpa mía:
ese mal no hace caso de razones.

La fiebre está en su casa, dueña y señora de esto.
Para ir al camposanto todos tienen razón.
El zuavo —parisiense— ved qué nombre le ha puesto:
"El jardín de aclimatación".

Como chinches los hombres se mueren. En su hatillo
dejó el chico recuerdos de la tierra lejana.
Un retrato de moza: dos babuchas de orillo,
y escrito encima: "Regalo a mi hermana".

La madre ha de saber: que rezó, buen cristiano,
y el padre: que mejor en combate muriera.
Le velaban dos ángeles en su hora postrera:
un marinero y un veterano.

(Traducción: Enrique Díez Canedo)

TRISTAN CORBIÈRE

Una vez publicados los versos franceses hechos en México por Alfred Bablot, seguramente no parecerán exóticas las cuartetas de Tristan Corbière, que acusan el duelo que
ennegreció también a algunos hogares galos a causa de la llamada expedición napo-
leónica a nuestro país. Nacido en Morlaix en 1845, Corbière cuenta entre los maestros
del simbolismo. Su breve existencia (murió en 1875) de dispensión y aventura lo
hermana, en más de un aspecto, con Rimbaud y con Verlaine Su "Carta a Méjico" abre
entonces una especie de ventana hacia otros rumbos en este florilegio juarista.

JUÁREZ Y GRANT

Cual tú, fue Grant humilde ciudadano,
Por sola su virtud noble patricio;
Cual tú, afianzó del pueblo en beneficio.
Unión y libertad con fuerte mano.

Su espada al triste negro americano
Convierte en hombre y llévale al comicio;
De torpe intolerancia hollando el vicio,
Tu genio al fin liberta al mexicano.

Digna prole de Washington severo
Ha sido Grant; y tú, Juárez querido,
Prole insigne de Hidalgo y de Guerrero.

Si de América el pueblo agradecido
Grabó ya vuestros nombres en acero,
Jamás el mundo los pondrá en olvido.

IGNACIO MARISCAL

El distinguido liberal y político oaxaqueño, Ignacio Mariscal (1829-1910), formó parte, esclarecidamente, del gabinete del señor Juárez. Una vez desaparecido éste, el escritor e internacionalista se entregó a su tarea literaria, intercalándola con el ejercicio de los cargos públicos que atendió en otras administraciones. Sonetos y hasta romances de singular factura, que reproducen más de un sucedido del patricio, quedan tanto como muestras del júbilo de la liberación nacional como de la nobleza de uno de los escritores mejor dotados de la segunda mitad del XIX.

LAUREL INMARCESIBLE

Si monùmentum quaeris, circumspice

No en ostentoso mármol esculpido
Mueva tu admiración su excelso nombre,
Ni con su pompa funeral te asombre
La rica tumba en que le ves tendido.

Más bello y digno túmulo erigido
De Juárez tiene al inmortal renombre,
En el santuario de su pecho, el hombre
Que le ama con un pueblo agradecido.

¿Buscas el epitafio? En esas leyes
Contémplalo en que altivo el mexicano
Su gloria encuentra y su robusta égida.

¿Por monumento igual —decidme, ¡oh, reyes!—
La púrpura y el cetro soberano
No dierais, y también la inútil vida?

Julio 18 de 1880.

EPISODIO

En el año terrible para México
Y al declararse la invasión francesa,
En esta hermosa, capital vivía
Un súbdito francés, que entonces era,
Entre varios, preceptor de un niño,
De Juárez hijo y que su nombre lleva.
Casado era el francés con mexicana,
Su amante y laboriosa compañera
Que, a su vez, educaba algunas niñas
Hijas del Benemérito de América.
Venido a la república años antes
Por una torpe y malhadada empresa
De colonización allá en la costa,
Que el caudaloso Coatzacoalcos riega,
Quedóse en el país y a la enseñanza
Consagró desde luego sus faenas,
Para lo cual brindábale aptitudes
Su literaria educación completa.
Mas de un genio versátil, u obligado
Por causa de salud, su residencia
Cambió diversas ocasiones, ora
Viviendo en esta capital, o fuera,
Ya en ciudades del norte, ya en Oaxaca,
Donde más de tres años una escuela
Mantuvo por contrato con los padres
De Cañas y Quiñónez, Beltranena,
Mariscal y otros varios, hoy difuntos,
Con la sola excepción del que esto cuenta.
Conociendo el país mejor que tantos
Como escriben sobre él a la ligera,
Además de trabajos pedagógicos,
Compuso con esmero y dio a la prensa
Un libro titulado *Le Mexique,*
Por Mathieu du Fossey (su nombre ése era).
En él, como de paso, procuraba
Mostrarnos la notoria conveniencia
De recibir con gusto y entusiasmo
Una animosa intervención francesa,

La cual debía hacernos muy felices
Al darnos protección, según se hiciera
Con Italia en Europa, levantando
Del poder a la cúspide soberbia
A la raza latina (aunque no abunde)
Como especie animal en nuestra tierra).
Así nos libraría del peligro
De perecer, y no dejar ni huella,
Por el yanqui invasor, con los embustes
Que de pretexto a Napoleón debieran
Servirle algo después para invadirnos
Separado de España y de Inglaterra.
El libro de Fossey halló fortuna
En la corte imperial y, en consecuencia,
A más de producirle otras ventajas,
Puso al autor en relación estrecha
Con algún encumbrado personaje,
Con quien pronto entabló correspondencia.
De un primer matrimonio, a lo que entiendo,
Fossey tuvo dos hijas. Una de ellas
Manuelita llamábase en Oaxaca,
Emmeline en su patria y en su lengua.
De vuelta ya en Europa con la madre,
Que en breve sucumbió a su mala estrella,
Casó Emmeline en Francia y residía,
Cuando aquí declarábase la guerra,
Con su esposo en Argel. Su padre, cauto,
Sus cartas remitía más secretas
De México a París por medio de ella,
En tanto que ella le guardaba oculto
Diabólico rencor, según se cuenta,
Por la conducta que Fossey llevara
Con la difunta madre de Manuela,
O como otros dijeron y es posible,
Por mezquinas cuestiones de una herencia,
O por cualquiera causa que no importa.
El caso fue que en la mayor reserva,
Algunas de esas cartas Emmeline
Interceptó con intención aviesa,
Posible contra un padre sólo cuando

El hijo negro corazón encierra,
De crímenes capaz, en donde anida
Sierpe que lo corrompe y envenena.

Al recibirse en México el aviso
De que la hostil expedición francesa
Sobre esta capital avanzaría,
Haciendo así del armisticio befa,
Con fútiles pretextos que indignaron
Al jefe Prim de la española, inmensa
Irritación notóse en los caudillos
Del elemento popular y serio,
Precauciones tomáronse al instante
Para evitar insultos y torpezas
En contra de franceses laboriosos
Que el país habitaban por doquiera.
Felizmente se vio que la colonia
Con tacto se condujo y con prudencia,
Logrando que este pueblo no olvidara
Su inclinación simpática por ella,
Con todo, en aquel trance bien se pudo
Temer una explosión que de vergüenza
Nos hubiese cubierto, pues sobraban
Necios que ya querían promoverla
Acreditando su valor salvaje
Contra gente pacífica, indefensa.
En situación tan llena de peligros,
Una abultada carta de la Argelia
Llegó, por el paquete inglés de Europa,
A Juárez dirigida; en su cubierta.
Otras viniendo por Fossey escritas
A su paisano y valedor del Sena.
Su texto claramente revelaba
Que era espía Fossey, en esa época,
Del gobierno francés. Así Emmeline
Denunciaba a su padre traicionera,
Por venganza —¡qué horror!—. Juárez, discreto,
No habló ni una palabra; a su presencia
Llamó a Fossey y, cuando estuvo a solas,

Las cartas entregándole, "Usted lea",
No más le dijo. Atónito el espía,
Sin poder dominar su gran sorpresa,
Tomó la de Emmeline, su hija cara,
Distinguiéndose al punto por la letra.
Apenas comenzaba su lectura,
Pálido el rostro de amarilla cera
Y con trémula voz, a Juárez dijo:
"Mande usted fusilarme, no me arredra
La muerte ya... Mi hija es quien me mata...
¡Feliz yo si la vida se me abrevia!
Usted, señor, es padre y me comprende.
Ya está usted castigado —con severa
Voz le replica Juárez, que ocultaba,
En medio del rigor de aquella escena,
Su profunda piedad—; mas cuide en tanto
De obrar con discreción; de otra manera,
Usted se entenderá con la justicia.
Partió Fossey confuso, y con presteza
De México alejándose, otro clima
Buscó para esconder su amarga pena.
Tal era el noble corazón de Juárez,
Tal la moderación y la prudencia
De aquel varón a quien los sicofantes
De las malignas cortes europeas
pintaban como torpe y sanguinario,
Cual indio testarudo zapoteca.
Hombre de hierro que el deber templara,
Jamás contra el deber ni un punto ceja,
Mas, fuera de esa inspiración, piadoso,
Humano siempre y sin rencor se muestra.
Era un varón prudente y compasivo
En quien sólo el rigor de la conciencia,
Llevando el bien de la nación por guía,
Daba impulso a la mano justiciera.
La fe con que aguardaba la victoria
No fue superstición ni estratagema,
Fue convicción profunda y confianza
En la fuerza invencible de su idea.
Si en mi vida —pensaba— no la alcanzo.

Otra generación tendrá que verla.
Que vimos con asombro y que lo eleva
Tan alto en nuestro amor, mientras la historia
Su frente ciñe de inmoral diadema.

Mayo de 1906.

A Castelar

Ave, sublime decidor, adoro
tu verbo, mundo que en las almas creas
y donde en ígneos tropos las ideas
vuelan al ritmo de tu voz de oro.

Las razas y los pueblos te hacen coro,
y las magnetizadas asambleas
conmueven con sus férvidas mareas
el bronce de tu trípode sonoro.

¡Ah! Te odia ya la demagogia oscura,
porque al derecho salvas de la escoria,
de tu tribuna en la inviolada altura.

No logrará descoronar tu gloria:
de la calumnia la saliva impura
te unge rey ante Dios y ante la historia.

JUSTO SIERRA

Hijo del conocido historiador y novelista Justo Sierra O'Reilly, Justo Sierra Méndez nació en Campeche en 1848 y murió en Madrid en 1912. Maestro, historiador, promotor de la educación nacional, Justo alcanzó a dejar también interesantes testimonios poéticos. En ellos, igual que en la reciedumbre y elegancia de su prosa, saluda a la república restaurada y expresa, según las estrofas que reproducimos, los verdaderos sentimientos de los mexicanos con respecto a la Francia de Victor Hugo y de Fabre, de Clemenceau y de Thiers en ocasión de la muerte de este último. Su diáfano soneto a Castelar parece agradecer los juicios del tributo español sobre México.

A FRANCIA, EN LA MUERTE DE THIERS

Hay, Francia, en ti la dualidad suprema
del alma y la materia; cuando arrojas
al porvenir sacrílego anatema
y rechazas la luz del día futuro,
eres entonces la materia; impuro
Francia del mal, tu hálito; un espectro
efímero es tu gloria;
el soldado, el levita, el incendiario
tus misioneros son y es un sudario
tu cielo, y un patíbulo tu historia.

De toda gran idea
profanadora trágica, es en vano
que con la voz de libertad te escudes:
nadie como tú sabe el soberano
secreto de encarnar en un tirano
el alma de las negras multitudes;
y, Luzbel de la historia, ya caído
en tierra, rota la sangrienta espada
y de odio y de ira moribundo
la sombra de tu ala quebrantada,
en noche se condensa sobre el mundo.

¡Ah!, frente a ti la Francia del espíritu
se alza a luchar, ¡que triunfe!,
¡que triunfe el pueblo del heroico pecho
que hace un siglo salió de su sepulcro
armado caballero del derecho!
Alma madre, ¡salud!, ¿cuál no siente
de los jóvenes pueblos el estrecho
vínculo filial que a ti lo enlaza?
De los que han sus cadenas quebrantado,
¿do está el que no haya con tu idea,
con tu idea y tu sangre comulgado?

Hoy la voz de esos pueblos a ti viene
como el rumor de inmensa simpatía
que escuchó Prometeo
en torno de su roca de agonía;
las naciones nuevas

tus océanides son, ellas perdonan
a aquella que si pudo
convertir la victoria
en instrumento de opresión impía
en una hora de martirio, expía
todo un siglo de crimen y de gloria.
Esos pueblos te aclaman:
más aún, te bendicen conmovidos,
y así siempre será, mientras que seas
el eco para todos los sonidos,
La fibra para todos los latidos
Y el ala para todas las ideas.

Mientras en tu verbo espiritual se agite
la humanidad futura, y en tu seno,
donde encendido hogar los hombres tienen
como en el beso conyugal palpite
el alma de las épocas que vienen.

Eres el corazón que no se encierra
urna de amor a los ajenos duelos,
y se esparce tu espíritu en la tierra
como la luz se esparce por los cielos;
todo lo dices tú, todo lo sientes;
nueva Babel de inmensurable alteza
a donde vuelven las dispersas gentes
a confundir sus sueños de grandeza.

¡Oh!, Francia, ayer vivías de esperanza,
tornóse el sueño realidad: avanza.
Allá va el buque entre las crespas olas,
lleva el dócil timón piloto experto,
en cuya frente pensativa y grave
brilla la fe en el rumbo y en el puerto:
más se para de súbito la nave...
¡Un hombre al mar!...
Silencio, Thiers ha muerto.

Fue ese hombre el pasado,
y era también el porvenir, su historia
es, ¡ay!, la de su siglo, ayer la cima,
hoy la cima... mañana lo ignorado.

Grande para lo útil, él vivía,
de la acción en la viril poesía:
lo encontró frío y en aplausos parco
de su tiempo la múltiple utopía;
era el rey de sí mismo...
Y por eso con fuerza soberana,
sereno como un hombre de Plutarco
atravesó por la tragedia humana.

Tuvo un rencor sagrado, el despotismo
lucho con él: su voz desoída...
y en la hora fatal de la caída
descendió por su Francia hacia el abismo.

Y la condujo al sol; le dio su aliento,
la hizo vivir, la enderezó en la altura
y en su rota y manchada vestidura
tornó a enhebrar su luz el firmamento.

Cuántas cívicas palmas, cuánta gloria
pero cuánto dolor; en la tribuna,
su pedestal de mármol, mar violento
de odio lo asaltó; náufrago y triste
de tu enseña al amparo al fin le viste,
¡oh!, bendita república.
Alto ejemplo
de razón y de fe; cual peregrino
que después de las penas del camino
reposa y muere en el umbral del templo.

Era ser libre, el precio de la vida
para aquel luchador; era creencia
la libertad, en él, tan dulce y fuerte,
que a extinguir esa luz en su conciencia,
no era bastante el soplo de la muerte.

Con esa voz sublime en el profundo
sufrir de nuestro siglo, halló la calma;
y, perla oculta en el dolor del mundo,
fue para él la eternidad del alma.

Más allá el rayo de su antorcha pura
en los espacios proyectó, y era
como ráfaga de oro atravesando
la noche de los mares sin ribera,
y allí, do el pensador de otras edades
miró la realidad que cubre el mito,
en esa región que no se nombra,
él, con su luz eterna, vio una sombra,
la gran sombra de Dios en lo infinito.
Así la libertad, llama divina,
no la que incendia, no, la que ilumina,
no era un vano nombre
sino un alma y un Dios para ese hombre.

Será inmortal; lo que su patria viva
él vivirá: por eso será en vano
que quiera el mal con su tiniebla impura
empañar la labor del gran anciano.

Cuando la hora presente de la historia
desaparezca, surgirá serena,
serena como el bien esa memoria.

Nacen las tempestades, llegan, crecen,
enlutan el espacio y desparecen
mientras las cimas que corona el hielo
al través de las nubes, permanecen
eternamente erguidas en el cielo.

Pueblo francés, sublime mutilado
a quien la mano de Voltaire un día
ungió del alma libertad soldado,
deja a los pueblos libres
que dudaron jamás de tu destino,
cuya sangre caldea
el sacro ardor del corazón latino,
que en este instante de dolor augusto
tu diestra estrechen con filial respeto
por encima del féretro del justo.

Deja que hoy, Francia, que la muerte impía
tu noble frente con su sello marca,
mi patria al tuyo su dolor adune;
nos separó la tumba de un monarca
la tumba de un república nos une.

HAS TRIUNFADO POR FIN, PATRIA MÍA

Has triunfado, por fin, ¡oh, patria mía!,
El destino sonríe a tu alma fuerte
Y te corona de esplendor el día,
¡Sublime desposada de la suerte!
Has triunfado; del luctuoso lecho
Reina te alzaste y a tu trono subes
Irguiendo la cabeza soberana
En un cielo sin sombras y sin nubes.
Ese rumor eterno que nos une
Al rugido del mar en tu ribera,
Es el grito de la hélice batiendo
Las olas por doquiera,
De la hélice que empuja los bajeles
A las costas del suelo mexicano,
Ceñido en torno de turgentes velas
Que en la clámide azul del océano
Tienden la blanca red de sus estelas.
Si el soplo frío del invierno baja
De las urnas del hielo de los montes,
Y se extiende la fúnebre mortaja
A los ayer calientes horizontes;
Vendrá la primavera y cuando tiemble
De amor la madre tierra en sus entrañas,
Las mieses bordarán de flores de oro
Los pliegues de tu manto en las montañas;
Tú, que en aras magníficas enciendes
Puro incienso a la industria, a la ciencia,
Y en el regio festín de tu opulencia
Tu inmensa copa a las naciones tiendes.
Tú, la gran redimida del trabajo,
Mereces tal destino: de tus venas,
Tu sangre, tu oro, en ríos brotó al mundo,
Que desde entonces se lanzó sediento
A tu pecho fecundo.
Como un arco triunfal fuiste elevada
En mitad de la tierra, y tu camino
Llegó a ser, ¡oh, mi patria!, la jornada
De todo peregrino.
Fuiste la patria universal, la ingente
Locomotora que escaló tus montes,

De un mar al otro mar surcó la Tierra;
Sus guirnaldas de humo, los gigantes
Árboles de tus selvas coronaron;
Las rocas a su voz se separaron,
Y en sus grietas profundas, palpitantes,
Del Génesis los ecos despertaron,
Ser feliz mereciste
Tú que sólo dejaste el hacha, altiva,
Cuando ya, grande y libre,
Amar la libertad pudiste en calma,
Y empapada mostrar la santa oliva
Con tu sangre y las lágrimas de tu alma.
Por eso hoy, bajo tu techo augusto,
Convocas a los nobles lidiadores
Del trabajo, y en prueba de victoria
Les muestras ese sol, el fulgurante,
Broche de luz de tu laurel de gloria.
Sé bendita entre todas las naciones,
Porque supiste consagrar tu vida
A tan heroico empeño.
¡Oh!, pobre patria mártir, ¿será nunca
Realidad este sueño?
¡Prefieres, patria mía, a este futuro
A merced de otro pueblo comprenderte!;
¡Prefieres ir por tu sendero oscuro,
Pálida desposada de la muerte!
¿Por qué fuera de aquí tus hijos cambian
Su alegría en amargo desconsuelo?
¿Será ésta acaso la postrer sonrisa
Que te reserva el cielo?
Quizá. Porque coronan
En lugar del vapor, tus altos montes
Nubes impuras que presagian duelo
El trabajo y la paz huyen tu suelo,
Se enlutan tus calientes horizontes.
Vas a gastar la savia de tu vida
En pos de una quimera
¡Pobre nación suicida!

¿Qué no es la libertad un sueño impío
Que pone miedo en el honrado pecho,
Cuando sólo se pide al poderío
De la fuerza brutal sobre el derecho?
Yo, ante ti me arrodillo, patria mía,
En esta hora de recuerdos, santa,
No quiero oír tu grito de agonía,
A estos hijos hasta ti levanta,
Ni esclavos hay, ni nunca habrá tiranos.
El trabajo y la paz son su bandera.
En pueblos que trabajan con fe austera
Haz que salude el mundo reverente
La corona de espigas en tu frente
Y el timón del arado entre tus manos.
Oye mi voz, no es sólo el triste canto
Del poeta que siempre te bendijo;
En el fondo del himno se halla el llanto
Que vierte, ¡oh, patria!, el corazón del hijo.

AL HÉROE EN SU TUMBA

¡Sombra augusta, perdón!, vengo a ofrecerte
—tributo humilde a quien alcanzan tantos—
el canto más solemne de mis cantos,
porque es el del recuerdo y de la muerte.

¡Qué majestad callada
hay en tu sueño de suprema gloria!
Aquí respira el alma emancipada
el ambiente sereno de la historia.
Tu fama durará. Los que han luchado
Cual tú, nos legan inmortal ejemplo;
ante la luz que irradia de ese templo,
el olvido se aleja avergonzado.

¡Cómo eclipsóse de la patria el gozo
al trasponer tu espíritu pujante
los términos del mundo, y qué sollozo
lanzó del pueblo el corazón gigante!
La guerra, que enconada
cubría de cadáveres el suelo,
sobre tu fosa, con profundo duelo,
muda, colgó su enrojecida espada.

¡Si a veces me parece
cuando, tendida sobre el mármol yerto,
tu imagen a mis ojos aparece,
que contigo también la patria ha muerto!
¡Mas si en el pueblo que salvaste un día
un aliento esforzado se revela,
es que tu inmenso espíritu nos guía:
tu cuerpo duerme, pero tu alma vela!

ANTONIO ZARAGOZA

He aquí a un interesante lírico tapatío. Poseedor de un decoroso acento, Antonio Zaragoza (1855-1910) deja entrever en las estrofas que ofrecemos, algunos sentimientos de
paz y de perdón que alentaban ya en algunos hombres de letras en los tiempos del
remanso porfiriano. La imprecación al Benemérito alcanza así, en los endecasílabos de
Zaragoza, una belleza nobilísima.

Ante tu augusta imagen,
de México recuerdo y esperanza,
tan sólo nobles sentimientos viven:
los grande como tú jamás conciben
ni el odio vil ni la feroz venganza.
Dejemos las pasiones que a porfía
a nuestras glorias sin piedad inquietan.
¡Tumbas de Miramón y de Mejía,
todas las almas nobles os respetan!
¡Sombras de los que fueron,
ya vuestros vencedores os escudan;
en el campo de honor os combatieron,
hoy que dormís tranquilos, os saludan!
Si turbaren de Juárez el reposo
con mezquinos insultos los villanos
—pequeño es el rencor, la gloria es grande—
¡no esperéis que esa tumba lo demande:
el rayo nunca llega a los gusanos!

¡Duerme en paz!, tus amigos te rodean,
los vencidos de ayer son hoy hermanos,
sus glorias con tus glorias centellean
y os estrecháis con efusión las manos.
Si se vuelve a encender México entero
y si otra vez la guerra nos destroza,
aumentarán el brillo de tu lampo
con su abnegado corazón, Guerrero,
con su espada triunfante, Zaragoza,
con su firmeza de titán, Ocampo!

De tu sueño magnífico despierta
Si extranjera cohorte
hollando tu país viene a ofenderte,
sombra sublime, alerta.
Como en Paso del Norte,
condúcenos al triunfo... o a la muerte.

Mas no querrán los cielos que la guerra
de nuevo muestre su terrible ceño.
¡Paz, honor, libertad para la tierra
que con inmenso amor guarda tu sueño!

¡La envidia rueda ante tus plantas muda,
tu grandeza inmortal, la historia dice:
de Cuauhtémoc la sombra te saluda
y la mano de Hidalgo te bendice!

México, 18 de julio de 1888.

¡OH, PADRE DE LOS LIBRES!

En cambio de los gritos que la escoria
aún alza en tu redor con insolencia,
yo quiero consagrar a tu memoria,
de mi cítara humilde, la cadencia.

¡Oh, padre de los libres, cuya gloria
se levanta inmortal en mi conciencia!
El derecho te debe su victoria
y la patria su santa independencia.

¡Honor a quien salvaba en su camino,
por mares y desiertos solitarios,
la causa que amparaba la justicia!

Que luchó como un león con el destino,
y humillando el poder de sus contrarios,
triunfó de la traición y la malicia.

JOSEFA MURILLO

La exquisita poeta veracruzana Murillo nació en Tlacotalpan, Ver., en 1860 y falleció
en esta misma población en 1898. Amado Nervo nos la presenta en tres palabras. "Vivió
escondida y murió en flor... como una violeta." Agreguemos que estudió en su ciudad
natal y a los 15 años de edad publicó su primer libro de versos. Su obra fue dada a
conocer por el novelista Cayetano Rodríguez Beltrán en 1889, en un homenaje
póstumo.

La lírica de nuestro siglo

LA RAZA DE BRONCE

I

Señor, deja que diga la gloria de tu raza,
la gloria de los hombres de bronce, cuya maza
melló de tantos yelmos y escudos la osadía·
¡oh, *caballeros tigres!*, ¡oh, *caballeros leones!*,
¡oh, *caballeros águillas!*, os traigo mis canciones;
¡oh, enorme raza muerta!, te traigo mi elegía:

II

Aquella tarde, en el poniente augusto,
el crepúsculo audaz era una pira
como de algún atrida o de algún justo;
llamarada de luz o de mentira
que incendiaba el espacio, y parecía
que el sol al estrellar sobre la cumbre
su mole vibradora de centellas,
se trocaba en mil átomos de lumbre,
y esos átomos eran las estrellas.

Yo estaba solo en la quietud divina
del valle. ¿Solo? ¡No! La estatua fiera
del héroe Cuauhtémoc, la que culmina
disparando su dardo a la pradera,
bajo el palio de pompa vespertina
era mi hermana y mi custodio era.

Cuando vino la noche misteriosa
—jardín azul de margaritas de oro—
y calló todo ser y toda cosa,
cuatro sombras llegaron a mí en coro;
cuando vino la noche misteriosa
—jardín azul de margaritas de oro—.

AMADO NERVO

Nacido en Tepic. Nay., en 1870 y fallecido en 1919 en Montevideo, Uruguay, Amado
Nervo traduce el amor y la serenidad en la poseía mexicana. Ello no obstante, Nervo
incursionó también por los terrenos de la lírica heroica, bien que con una suavidad y
una unción que, realmente, lo singularizan. Tal su poema "A Morelos" y tal su oración
"La Raza de Bronce", donde aparece Juárez acompañado de algunas otras personalidades indias en un hermoso friso literario. El poeta leyó este canto en la sesión solemne
del Congreso, el 19 de julio de 1902.

Llevaban una túnica esplendente,
y eran tan luminosamente bellas
sus carnes, tan fúlgida su frente,
que prolongaban para mí el poniente
y eclipsaban la luz de las estrellas.

Eran cuatro fantasmas, todos hechos
de firmeza, y los cuatro eran colosos
y fingían estatuas, y sus pechos
radiaban como bronces luminosos.

Y los cuatro entonaron almo coro...
callaba todo ser y toda cosa;
y arriba, era la noche misteriosa
—jardín azul de margaritas de oro—.

III

Ante aquella visión que asusta y pasma,
yo, como Hamlet, mi doliente hermano,
tuve valor e interrogué al fantasma;
mas mi espada temblaba entre mi mano.

"¿Quién sois vosotros —exclamé—, que en presto
giro bajáis al valle mexicano?"
Tuve valor para decirles esto;
mas mi espada temblaba entre mi mano.

"¿Qué abismo os engendró? ¿De qué funesto
limbo surgís? ¿Sois seres, humo vano?"
Tuve valor para decirles esto;
mas mi espada temblaba entre mi mano.

"Responded —continué—. Miradme enhiesto
y altivo y burlador ante el arcano."
Tuve valor para decirles esto;
¡mas mi espada temblaba entre mi mano...!

VI

Y un espectro de aquéllos, con asombros
vi que vino hacia mí, lento y sin ira,
y llevaba una piel sobre los hombros
y en las pálidas manos una lira;
y me dijo con voces resonantes
y en una lengua rítmica que entonces
comprendí: "¿Qué quién somos? Los gigantes
de una raza magnífica de bronces.
"Yo me llamé Netzahualcóyotl y era
rey de Texcoco; tras de lid artera
fui despojado de mi reino un día,
y en las selvas erré como alimaña,
y el barranco y la cueva y la montaña
me enseñaron su augusta poesía.

"Torné después a mi sitial de plumas,
y fui sabio y fui bueno; entre las brumas
del paganismo adiviné al Dios Santo;
le erigí una pirámide, y en ella,
siempre al fulgor de la primer estrella
y al son del *huéhuetl*, le elevé mi canto."

V

Y otro espectro acercóse; en su derecha
llevaba una *macana*, y una fina
saeta en su carcaje, de ónix hecha;
coronaban su testa plumas bellas,
y me dijo: "Yo soy Ilhuilcamina,
sagitario del éter, y mi flecha
traspasa el corazón de las estrellas.

"Yo hice grande la raza de los lagos,
yo llevé la conquista y los estragos
a vastas tierras de la patria andina,
y al tornar de mis bélicas porfías
traje pieles de tigre, pedrerías
y oro en polvo... ¡Yo soy Ilhuicamina!"

VI

Y otro espectro me dijo: "En nuestros cielos
las águilas y yo fuimos gemelos:
¡Soy Cuauhtémoc! Luchando sin desmayo
caí... ¡porque Dios quiso que cayera!
Mas caí como el águila altanera;
viendo al sol, y apedreada por el rayo.

"El español martirizó mi planta
sin lograr arrancar de mi garganta
ni un grito, y cuando el rey mi compañero
temblaba entre las llamas del brasero:
"¿Estoy yo, por ventura, en un deleite?
—le dije—, y continué, sañudo y fiero,
mirando hervir mis pies en el aceite."

VII

Y el fantasma postrer llegó a mi lado:
no venía del fondo del pasado
como los otros; mas del bronce mismo
era su pecho, y en sus negros ojos
fulguraba, en vez de ímpetus y arrojos,
la tranquila frialdad del heroísmo.

Y parecióme que aquel hombre era
sereno como el cielo en primavera
y glacial como cima que acoraza
la nieve, y que su sino fue, en la historia,
tender puentes de bronce entre la gloria
de la raza de ayer y nuestra raza.

Miróme con su límpida mirada,
y yo le vi sin preguntarle nada.
Todo estaba en su enorme frente escrito:
la hermosa obstinación de los castores,
la paciencia divina de las flores
y la heroica dureza del granito...

¡Eras tú, mi Señor; tú que soñando
estás en el panteón de San Fernando
bajo el dórico abrigo en que reposas;
eras tú, que en tu sueño peregrino,
ves marchar a la patria en su camino
rimando risas y regando rosas!

Eras tú, y a tus pies cayendo al verte:
"Padre, te murmuré quiero ser fuerte:
dame tu fe, tu obstinación extraña;
quiero ser como tú, firme y sereno;
quiero ser como tú, paciente y bueno;
quiero ser como tú, nieve y montaña.

"Soy una chispa: ¡enséñame a ser lumbre!
Soy un guijarro: ¡enséñame a ser cumbre!
Soy una linfa: ¡enséñame a ser río!
Soy un harapo: ¡enséñame a ser gala!
Soy una pluma: ¡enséñame a ser ala
y que Dios te bendiga, padre mío!"

VIII

Y hablaron tus labios, tus labios benditos,
y así respondieron a todos mis gritos,
a todas mis ansias: "No hay nada pequeño,
ni el mar ni el guijarro, ni el sol ni la rosa,
con tal de que el sueño, visión misteriosa,
le preste sus nimbos, ¡y tú eres el sueño!

"Amar, eso es todo; querer, ¡todo es eso!
Los mundos brotaron al eco de un beso,
y un beso es el astro, y un beso es el rayo,
y un beso la tarde, y un beso la aurora,
y un beso los trinos del ave canora
que glosa las fiestas divinas de mayo.

"Yo quise a la patria por débil y mustia,
la patria me quiso con toda su angustia,
y entonces nos dimos los dos un gran beso:

los besos de amores son siempre fecundos;
un beso de amores ha creado los mundos;
amar... ¡eso es todo!, querer... ¡todo es eso!"

Así me dijeron tus labios benditos,
así respondieron a todos mis gritos,
a todas mis ansias y eternos anhelos.
Después, los fantasmas volaron en coro,
y arriba los astros —poetas de oro—
pulsaban la lira de azur los cielos.

IX

Mas al irte, Señor, hacia el ribazo
donde moran las sombras, un gran lazo
dejabas, que te unía con los tuyos,
un lazo entre la tierra y el arcano.
Y ese lazo era otro indio: Altamirano;
bronce también, mas bronce con arrullos.

Nos le diste en herencia, y luego, Juárez,
te arropaste en las noches tutelares
con tus amigos pálidos; entonces,
comprendiendo lo eterno de tu ausencia,
repitieron mi labio y mi conciencia:

"Señor, alma de luz, cuerpo de bronces:
Soy una chispa: ¡enséñame a ser lumbre!
Soy un guijarro: ¡enséñame a ser cumbre!
Soy una linfa: "enséñame a ser río!
Soy un harapo: "enséñame a ser gala!
Soy una pluma: "enséñame a ser ala!
Y que Dios te bendiga, padre mío!"

Tú escuchaste mi grito, sonreíste
y en la sombra infinita te perdiste
cantando con los otros almo coro.

Callaba todo ser y toda cosa:
y arriba era la noche misteriosa:
jardín azul de margaritas de oro...

NIMBADO DE ALBA LUZ

I

Aquí bajo el sarcófago
de mármol funerario,
en el soberbio túmulo,
adorno del osario,
reposa el varón ínclito
en la perpetua paz.
Cumplióse ya el horóscopo,
descansa el púgil fuerte,
velando están sus númenes
el templo de la muerte.
¿Quién este asilo plácido
se atreve a profanar?

II

Su cuna fue el pacífico
hogar de una cabaña:
pequeño como el átomo
se transformó en montaña;
del polvo de la cúspide
se eleva del poder.
Desheredado indígena
fue noble caballero;
se sienta entre los próceres
en el lugar primero
y ocupa en los alcázares
el más rico dosel.

III

Cruzó el inmenso piélago
cual raudo meteoro;
dejó en su curso fúlgida,
vivaz estrella de oro;
surcó las grandes órbitas
como esplendente sol.

MANUEL H. SAN-JUAN

Publicamos de Manuel H. San-Juan su bella y marmórea invocación a Juárez. Más que poeta, San-Juan fue un distinguido periodista y, sobre todo, un vigoroso novelador. Su bibliografía anota *Narraciones mexicanas*, *El señor gobernador* y *Apuntamientos sobre cosas nacionales*. Nació en Oaxaca en 1864 y murió en la capital del país en 1917, fue también maestro de enseñanza preparatoria y funcionario público.

Cuando cruzó el Atlántico
la poderosa armada,
cuando sonó de bélicos
clarines la llamada,
cuando fijó en el médano
su huella el invasor.

IV

Convoca a los ejércitos
para la guerra santa,
y, ante la vista atónita
del mundo, se levanta
con la fiereza de águila
que el nido defendió.
Batallador intrépido
los pueblos acaudilla,
de la nación el lábaro
tremola sin mancilla
¡El solio de los déspotas
su brazo derribó!

V

Nada contuvo el ímpetu
de su genial carrera,
ni el odio de los príncipes
ni la perfidia artera;
nada torció de su ánimo
la firme rectitud.
Modesto en el pináculo
de todas las grandezas,
sereno en las catástrofes,
sublime en las proezas,
así era el gran repúblico,
figura de alba luz.

VI

Mantenedor solícito
de sacrosantas leyes,
juez soberano y árbitro
del hijo de cien reyes,
pujante y bravo mílite
de la moderna fe.
Irguióse siempre indómito
ante el adverso sino,
y caminando impávido
en pos de su destino,
la ley era su brújula,
la patria su sostén.

VII

Sobre despojos lúgubres
que esparce la pelea,
sobre el fatal patíbulo
donde la soga ondea,
en las comarcas míseras
de triste asolación.
El viento pasa, alígero,
las selvas acaricia
resuena por los ámbitos
la voz de la justicia
y Juárez alza incólume
la enseña tricolor.

VIII

Su voz es timbre heráldico
de honor y de heroísmo,
su luz llena los lóbregos
horrores del abismo,
su voz suena en los cánticos
de nuestra libertad.
Su fosa ocupa el límite
que la nación encierra,
la cubre el manto exúbero
de mexicana tierra,
la riegan con sus lágrimas
un mar y el otro mar.

IX

¿Qué resta de él? Los vívidos
fulgores de su gloria;
las más hermosas páginas
que guarda nuestra historia,
los bronces y los mármoles
donde su nombre está.
¿Qué nos legó? Su código
de gran sabiduría,
las tablas del decálogo
que la Reforma hacía,
fundando en bases sólidas
el credo universal.

X

Aquí, bajo el sarcófago
del mármol funerario,
en el soberbio túmulo,
adorno del osario,
reposa el varón ínclito
nimbado de alba luz.
No turbe voz sacrílega
la paz del cuerpo inerte;
en el asilo plácido
del templo de la muerte
se rinde culto místico
al genio y la virtud.

GLORIA Y PAZ

Oh Juárez	EL	pueblo todo,
con gran	RESPETO	y cariño,
desde el viejo	AL	tierno niño,
tienen	DERECHO	a tu amor,
Nadie es	AJENO	a tus honras,
pues tu tumba	ES	altar santo
donde alza	LA	patria un canto
de gloria y	PAZ	en tu honor.

EL VALE COYOTE

El número del 15 de marzo de 1906 de el *Heraldo del Hogar* da albergue a la composición a Juárez subtitulada "Una octava curiosa". Curiosa e ingeniosa joyita, ciertamente; divertido juego grafista que, en la parte central de sus versos, dibuja el conocido anagrama juarista sin que se lesione la significación del poema. Su autor, artista al parecer del pueblo, simplemente firma "El Vale Coyote". Creemos que composiciones de este tipo, absolutamente populares, dan variedad y colorido a este florilegio juarista. Más adelante insertaremos también un corrido popular consagrado a don Benito.

LA CUMBRE

Se levantó del fondo de silencio profundo
en que, cansada y triste, duerme su heroica raza,
la que erigió los templos solemnes en que abraza
la selva los misterios del granito, fecundo
en tremendos enigmas. Tal vez su adusta traza,
hecha piedra en un templo de aquéllos, amenaza
desde hace muchos siglos la iniquidad de un mundo.
Era muy silencioso. Su corazón, dispuesto
a humear ante un ídolo por cumplir meditado
deber de ritual grave, siempre encontró cerrado
el labio a ofensa y queja. ¡Qué vigor del enhiesto
y escueto tronco que iergue su empeño desolado
en desierto afligido de ráfagas cruzado,
y no tiene una rama para un canto funesto!
Era impasible, fuera del poderoso anhelo
que impulsó su serena voluntad hacia lo alto,
y dentro del terrible, general sobresalto
que a la patria rodeaba en su gran desconsuelo.
¡Oh, la montaña es firme, por salvar el basalto
de su cima, en un triunfo de soberbio resalto,
del fuego de la tierra, bajo el fuego del cielo!
Silencioso, impasible, como hecho a forja lenta
en gigantescos trozos de bronce, con martillos
manejados por cíclopes, su grandeza de brillos
eternos, en eternas gratitudes asienta...
¡Lobos, les dais en vano filo a vuestros colmillos...!
¡Serpientes, perdéis fuerza de odio en vuestros anillos...!
¡No habrá para vosotros un rayo en la tormenta...!

ROBERTO ARGÜELLES BRINGAS

Nacido en Orizaba, Ver., en 1875, Roberto Argüelles Bringas fue un malogrado poeta.
Dotado de una gran fuerza lírica, estremecida ésta por el dolor que siempre atenaceó al
artista y que orgullosamente se refleja en su obra. Argüelles Bringas no logró ver la cima
de cuanto se propuso. Murió a los 40 años. Amado Nervo le auguraba uno de los más
altos lugares en la poesía nacional. De ceñida sintaxis, resuman sus versos, efectiva-
mente, dolor, y son trasunto de un gran afán de superación. De singular belleza basál-
tica, el poema a Juárez que elaboró el artista en 1906, en verdad lo representa.

La ansiedad en las almas y el rencor en los pechos.
El pasado, en sus alas de sombra, negro amparo
tendiendo en las conciencias. Lo más santo y más caro
al corazón, por triunfos de perdidos derechos,
ofrecido como una mercancía. Ante un claro
amanecer, la pugna de la tiniebla. Un raro
tesón de erguir vergüenzas sobre famosos hechos.
El más atroz conflicto de ideales, armados
de punta en blanco, en guisa de horrible reto a muerte.
Y un fatídico buitre, desde la noche inerte,
presagiando exterminio total a los cansados
luchadores, que estaban sangrando de tal suerte,
que la patria lloraba... ¡la patria noble y fuerte!,
¡la patria, madre de esos hijos infortunados...!
Y luego, la maldita profanación de audacia
consumada en el suelo donde tanto heroísmo
fecundo tantas flores de gloria, en ese mismo
suelo donde la sangre de tanto héroe es la gracia
de color de las rosas, donde rugen lirismo
épico los torrentes, donde callan su abismo
los volcanes que saben la tremenda desgracia...
Parecía que un águila presa iba a ser de alguna
de otras dos poderosas, de garras de millares
de uñas... (una de aquestas atravesó los mares)
Pero Dios no lo quiso... Y de las dos, ninguna
de las enormes águilas sació sus seculares
apetitos... ¡La otra águila segura quedó en Juárez
desde que abrió las alas sobre su pobre cuna!

Las efigies talladas en las rocas adustas
que guardan los teocalis, do esperan el momento
en que habrán de contarnos el prodigioso cuento
de los grandes imperios, tienen muestras augustas
de alegría, de orgullo, por el alto portento:
¡Un hombre de la estirpe broncínea tuvo aliento
para alzar torres áureas sobre ruinas vetustas!
Y usó de su misión de nube de tormenta
para llenar las horas de lucha y de quebranto
que el tiempo descorría sobre el mortal espanto
de la vida, con una fulguración violenta
de leyes como rayos, que fulminaron cuanto
erguimiento altivo mostraba el desencanto
del error en el fuego de una epopeya cruenta.
¡Y usó de su firmeza para abrumar el falso
deslumbre de una corte de mengua, y a una extraña
ostentación de fuerza, de crueldad y de saña,
con el poder de un fiero patriotismo descalzo!
¡Y a la ambición artera, que en la sangre se baña,
con gesto apocalíptico y actitud de montaña,
la puerta para siempre cerró con un cadalso!

JUÁREZ, CANTO ÉPICO

En molde griego omnipotente mano
Hizo correr el bronce mexicano
Y Juárez resultó. Sobre la cumbre
Del monte giganteo,
El sol lo baña en su primera lumbre,
Y le rinde el postrer rayo febeo.
Entre la bruma de la noche agita,
Como un faro, la luz que en él palpita,
Y con sus haces los espacios puebla;
Y lo ven con asombro las edades
Como guía, en las horas de tiniebla,
Cual refugio, en las recias tempestades.
Allí surgió, sobre la cumbre andina,
Como nace del cóndor el polluelo:
Si al hondo valle la cabeza inclina,
Después la irgue, desafiando al cielo.
Apréstase al combate,
Y, cuando tiende el atrevido vuelo,
Ni lo imposible, con su duro embate,
Le hace retroceder, que audaz prosigue
Hasta alcanzar la gloria que persigue.

De la miseria en el profundo abismo,
Que al inútil devora
Y al más apto preserva y avigora.
Su espíritu forjó para el civismo,
Y empezó su carrera de heroísmo
En sí propio venciendo al minotauro,
Que sólo aquel que triunfa de sí mismo
Es héroe y logra inmarcesible lauro.

RAFAEL DE ZAYAS ENRÍQUEZ

Novelista, dramaturgo y poeta, Rafael de Zayas Enríquez figura igualmente como un reconocido diplomático e internacionalista durante los últimos años del siglo XIX. Su pluma habría de producir, en ocasión del centenario del natalicio de Juárez, una biografía del prócer que obtiene el primer lugar en el Certamen Nacional y que se lee todavía con gusto y provecho. También en 1906, la Comisión del Centenario Juarista premió el poema que reproducimos de Zayas Enríquez. Nacido en Veracruz en 1848, el hombre de letras fallece en Nueva York en 1932.

¿Qué en su frente llevaba taciturna
Aquel sublime paria?
¿Era luctuosa urna
De la estirpe infeliz que la nefaria
Codicia del señor redujo a muerte?
La luz que en él se advierte,
¿Es el fulgor de pira funeraria,
O tea que crepita,
Que amaga, incendia y que devora un mundo?
¿Es apóstol fecundo
En quien Dios la esperanza deposita?
¿Es profeta inspirado que medita,
Que habla al Eterno a solas,
Y percibe su voz entre las olas
Del hondo Tiberiades, y el lamento
Que en el bosque de pinos lanza el viento?...
¡Es profeta y apóstol!... Miró el alma
Del pueblo sucumbir entre la calma
Del claustro silencioso;
Ceder al vicio la virtud, la palma:
Incontrastable al déspota orgulloso
El crimen imponer, que el más odioso
El triunfo legitima;
Que todos tiemblan del verdugo al tajo;
Que la abyección potente se halla encima,
Y la esperanza moribunda, abajo...
Abajo, do miserias y temores
Acosados, se funden y acrecientan,
Y confluyen los ríos de rencores
Que forman cenegal, en que fermentan
Las cóleras inermes, en desmayo,
Y origen son de la incipiente nube,
Que al soplo de un titán al cielo sube,
Y en él se recombina y brota el rayo.

Y Juárez fue el titán. Su soplo ardiente
Cruzó sobre la frente
Del cenegal humano,
Y seco y puro se ostentó el pantano.

El viejo alcázar, que en los firmes hombros
De áspero cerro, con orgullo erguía
Su torreón, derrúmbase en escombros;
Entra en el claustro fulguroso el día
Y las sombras disuelve;
A la virgen, tan ciega como pura,
Rescata de su mística locura,
Y al hogar la devuelve.
Riquísimo el tesoro,
Que infecunda aglomera la avaricia,
El dique rompe, y la corriente de oro
Al desbordarse, la opulencia inicia.

En vano invocan religión y fuero
El fraile y el guerrero,
Que el diluvio de sangre ha nivelado
Nobles, pecheros, frailes y soldado.
Reviste el pueblo la severa forma
Del hombre libre; libre la conciencia
Su aspiración y su conducta norma,
Ofrece a Dios el culto de la ciencia,
Y es su Biblia las Leyes de Reforma.
Barre potente el medieval prestigio,
Y al triunfar en el épico litigio,
Sobre lo absurdo se levanta el hecho,
Sobre el *sic volo*, el popular derecho.
Mas, ¡ay!, de los vencidos la caterva
De la nación sus vínculos desata,
El patriotismo, en su perjurio, mata,
Y, a los impulsos de ambición proterva,
Pide a la Europa ayuda;
Imprévida la patria queda muda
Al ver que Francia apresta sus legiones,
Que llegan sus invictos batallones,
Que fingen amistad, y que la engañan,
Y al burlarla, felones,

Su gloria, y no la nuestra, es la que empañan.
Al percibir que visten los arreos
Los traidores, del galo, en ronco grito
La patria así prorrumpe: "¡Deteneos,
Que aquí comienza el infernal delito!
¡No descarguéis los brazos
Sobre la madre que afligida implora,
Y que borrar quisiera, cuando llora
El que lleváis estigma de profanos!...

¡Y tú, francés cruento,
Que no sabes cumplir tu juramento,
Si protegen los números tu obra,
No abatirán mi vigoroso aliento,
Está conmigo Juárez, y esto sobra!"

Como el Tajo su pecho sació fuera
Para imprecar al lúbrico Rodrigo,
Cuauhtemoczin, que vio del enemigo
La dura saña y la traición rastrera,
De la tumba surgió, sombra gigante,
Y dijo en voz tonante:
"¡Armaos de valor!... Tremenda lucha
Y grande su tesón, hálleos sereno.
Sellad, sellad la boca,
Y no por ella escápase el gemido,
Que no a piedad, sino a desdén provoca.
El nauta combatido
Por negra tempestad, no pide ayuda,
No importa al mar ni al viento;
Y ¡guay del hombre que en la brega ruda,
Cobarde rinde el brazo al desaliento!
La deidad de la guerra sólo acoge
El himno de furor que infunde espanto;
De la viuda recoge
El ardoroso llanto
Si el odio engendra y la venganza pide,
Y a la venganza al vástago decide.
Sin miedo combatid, que la victoria
Con el triunfo parcial no se avasalla,

Y sólo obtiene el lauro de la gloria,
Y vive eterno en la inmortal historia,
Aquel que vence en la última batalla."

Y Juárez le escuchó. Su rostro austero,
Donde nunca animóse la alegría
Ni del pesar nubló la sombra impía,
Alzó, mirando al ínclito guerrero,
Y así dijo; "Te juro
Que seré foso y muro
En donde estrelle el invasor su audacia,
No me asusta que avance en el camino
Triunfal de la victoria: la desgracia
Hará que vuelva yo, de peregrino,
A desafiar la esfinge en el desierto;
Mas iré hacia el destino
Sin temor, como el nauta que va al puerto,
A rumbo fijo y de encontrarlo cierto.
¡No dudes, no!... Los galos que deprimen
Tu pueblo, en su arrogancia,
No verán coronado el torpe crimen.
Yo no busco la gloria de Numancia,
Ni a Leónidas pongo de modelo,
Que no hallarán de Francia
Las águilas un nido aquí, en tu suelo,
Deja se ensañe la cruel fortuna,
Sus esfuerzos no son irresistibles;
Cada fosa de mártir será cuna
De legiones de héroes invencibles.
Y pues la antorcha de la guerra arde,
Y a México el francés el guante arroja,
Paladín sobrará que lo recoja;
Seguir a la prudencia es ya cobarde...
¡Que entre fuerza y derecho, Dios escoja!..."

Y la guerra surgió. Sólo un instante
La fortuna a la patria fue propicia,
Y el sol de mayo, en Puebla, su caricia
Da a Zaragoza, del francés triunfante.

Después... la noche densa
cubre a la patria con su sombra intensa...
La traición, la derrota,
El éxodo, el patíbulo, el calvario,
La desconfianza que en el aire flota,
El grito de placer del victimario,
El escombro que humea,
El montón de cadáveres que oprime
La madre tierra, que a su paso gime;
La sangre que se orea,
Y en sus ondas los campos empurpura...
Y, en medio al cataclismo,
Se ve surgir la colosal figura
De Juárez que fulgura
Con la luz de la fe en el patriotismo.

Si al empuje del gato todo cede,
Juárez ante el soberbio se levanta,
Y la Parca le mira y retrocede,
Que la sublime intrepidez la espanta.
¿El suelo, infiel, se negará a su planta?...
¿Desertará, por fin, de su bandera?...
¿Terminará su éxodo en efugio?...
Ya toca la frontera,
Que es la patria el postrimer refugio,
Y ni aún allí se abate y desespera.
Asciende a una atalaya
Y ve que de horizonte en horizonte,
Desde la playa al monte,
Y del monte a otro monte, a la otra playa,
Las rocas, valles, ríos, cielo y tierra
¡Todo ruge furor, venganza y guerra!...
Y ve que se detiene la conquista;
Y columbra, entre sangre, la alta arista
Del efímero trono, dibujada,
Y al imbele Habsburgo, nao que flota
Al vaivén de la fuerte marejada,
Ya sin timón y con la vela rota;
Y entre las cruces del atroz martirio
De tanto apóstol, ve que diligente

En su último corcel monta Porfirio,
Abre paso a la gloria en el oriente,
Y en Carbonera, Miahuatlán, Oaxaca,
En Puebla y San Lorenzo audaz ataca,
Y arrolla, barre, y cual simún destruye
Cuanto su marcha obstruye,
Y, en una apoteosis, se destaca
Cual genio que la patria reconstruye.
En la occidua región lucha Corona,
El bayardo sin mácula ni miedo,
A quien la fama triunfador pregona;
Y al septentrión el ínclito Escobedo,
Con Naranjo y Treviño. Sus legiones,
Que a la vanguardia arrojan al denuedo,
Avanzan con sus rápidos bridones,
Desde el Bravo a Querétaro, triunfales;
Empujan las huestes imperiales,
Las acosan, las ciernen y el instinto
Del luchador en ellas ven extinto;
Y el humilde pechero,
Ilustre vencedor en San Jacinto,
Recibe el roto acero
Del monarca heredero
De la gloria sin par de Carlos Quinto.

¡Qué terrible sarcasmo!...
Haber nacido sobre el trono regio,
De príncipe gozar el privilegio
En los hombres venir del entusiasmo
Para ocupar el solio,
Y, al concluir la trágica epopeya,
De la cima rodar del Capitolio
Y ser precipitado en la Tarpeya...
¿Podrá mano plebeya
Atentar a la vida
Del procero varón, de aquel magnate
Cuya frente por Dios se encuentra ungida?...
¡Sublime es el perdón tras el combate!
Aquel que triunfa, crece

Si en la victoria su rencor abate
Y mano amiga al que sucumbe ofrece...
¿Qué dices, Juárez?... ¿Tu alma no estremece
del universo el compasivo coro?...
Si hay en tu corazón blanda una fibra,
¿Cómo es que no vibra
De augusta madre al contemplar el lloro?...
Verdad que el Nuevo Mundo
Mira a los reyes con desdén profundo;
Que no admira más púrpura que aquella
Que tiñe el sol, cayendo en el ocaso,
Y es la fúlgida huella
Que en el cielo azul imprime de su paso;
Y verdad que no acepta más corona
Que la del sabio, que tejió de encino,
Y el laurel con que al héroe galardona,
Pero, ¿qué hace de Anáhuac al destino
Que haya un príncipe más, que destronado,
Viva en destierro y muera abandonado?...
Juárez oye el clamor... piensa... vacila...
Mas, entre sombras, con horror descubre
Una fecha luctuosa... ¡El tres de octubre!...
Y Salazar, Arteaga, y otros cientos,
Cual fantasmas sangrientos,
Surgen y arrastran los sudarios rojos,
Y al cruzar macilentos
En Juárez fijan los airados ojos;
Y la corriente de piedad se trunca,
Y Juárez dice al fin: "¡Ahora o nunca!"

Un relámpago vívido, y estalla
El ronco trueno... Un grito de agonía...
Y después todo calla...
Se desvanece al aire la sombría
Nube del humo, y en la estéril roca
Fusilada se ve la monarquía...
La carcajada se oye de una loca...
Y en el Imperio que la ley derrumba
La proterva traición halla su tumba.

Y regresa triunfal Juárez coloso
E incólume la patria con él vuelve;
Su estandarte glorioso
En onda tricolor se desenvuelve,
Y el águila, señora del espacio,
Torna altanera al nacional palacio.
El astro que en Dolores
De México la noche trocó en día,
A raudales derrama sus fulgores
En el titán a quien sirvió de guía
La fama del apóstol y profeta
Cunde en el orbe, que inmortal le llama;
El título de *Padre* le decreta
El pueblo, que por égida le toma;
Benemérito un mundo le proclama;
Sus virtudes envidian Grecia y Roma;
Y en la cumbre más alta le contemplo,
Símbolo consagrado de energía,
De patriotismo y de valor ejemplo,
Y le sirve de altar la patria mía,
Y es lo infinito de su gloria el templo.

EXALTACIÓN HEROICA

*A los hijos y nietos del Benemérito de América
Benito Juárez, modestísimo homenaje de vieja y
honda simpatía a todos aquellos que, por fortuna
para México, viven y llevan en sus venas sangre del
libertador, perpetuando su glorioso nombre.*

INVOCACIÓN

I

¡Fuego de Dios, si tienes una chispa,
una chispa no más, flava y ardiente,
capaz de producir santas hogueras
de viva luz, a quien cantar intente
nobles hechos y hazañas justicieras,
arráncala del foco en donde imperas
y generoso arrójala a mi frente!

II

¡No, no temas! No soy de los cobardes
que ante el éxito-rey viven de hinojos,
y por miedo a las llamas con que ardes,
bajan la frente y cúbrense los ojos.

Tengo alma, tengo aliento, tengo vida,
mi aspiración a ti vive escondida
dentro mi ser, como indeleble marca
que llevo, por la vida, desde niño,
con el hondo placer con que el monarca
lleva en el trono su mantón de armiño.
Mi estrofa, sin euritmia y sin donaire,
brota de mi, como del arpa eolia
la blanda queja, si la hiere el aire.
Y como arpa de luz la mente mía,
si la empapa el fulgor de las estrellas

MANUEL CABALLERO

El nombre de Manuel Caballero figura en la reseña de los mejores periodistas de la
centuria pasada. Nacido en Tequila, Jal., en 1849, trabaja desde joven en las redaccio-
nes de los periódicos capitalinos. *El Siglo XIX* y *El Monitor Republicano,* fundando después, en Guadalajara, *El Mercurio Occidental* y *La Estrella Occidental.* Como escritor
dejó hermosas crónicas y se hizo notar en la lírica nacional, ya en este siglo. Su poema
"Juárez Épico" obtuvo un accésit en el certamen del centenario del natalicio del gran
oaxaqueño. Murió en 1926.

que sus blancos ensueños agiganta,
nadando en claridad que esparcen ellas,
vibran sus cuerdas y mi verso canta.

III

Pero cantó los campos y las flores,
y el tibio rayo de la luz de plata
con que el astro gentil de los amores
acompaña a furtivos rondadores,
motivos de doliente serenata...
Mas hoy que estremecido,
de pie, frente las aras de la historia,
exalto a un elegido
que en las cumbres más altas de la gloria
puso, como las águilas, su nido;
hoy, temo y tiemblo, y con pavura santa
al astro impongo que tu ardor demande,
pues la estrofa que sube a mi garganta
es el peán que canta
la humanidad cuando se siente grande.
Así; no extrañes si en la audacia mía,
con alas pobres de fusible cera,
subir intento a tu ardorosa hoguera,
nuevo Ícaro, a pedir llama que cunda,
llama que se derrame refulgente,
como ancho río que la tierra inunda
mugiendo con sus gamas de torrente...
Tu chispa, que enaltece y que fecunda,
Fuego de Dios, ¡arrójala a mi frente!

CANTO PRIMERO
I

Desde el fondo sin fondo de los tiempos,
oh, tú, noción de patria, fuiste un mito
grande, con la grandeza de las cosas
que tienen su raíz en lo infinito.
El hombre lleva escrito
dentro del corazón, desde la cuna,

un augusto decálogo de amores,
que son su ley, su vida y su fortuna.
Ama el sitio en que, presa de dolores,
la madre lo dio a luz. Ama el terruño
donde el hogar querido
lo recibió al nacer como un nido.
Ama su cielo azul, ancho y joyante,
más joyante y azul que ningún cielo,
y siente que su sol es como un padre
que lo ha mimado con amor de abuelo.
Ama su prado, su vergel, su río,
su viejo caserío
de chozas o palacios que él conoce
desde la infancia, hasta trocarse en hombre
donde en cada dintel hay unos labios
que sonríen y le hablan por su nombre.
Ama la historia de su burgo fiero
que nunca fue ni oscura ni villana,
y su torre, su iglesia y su campana
y el dulce sitio de su amor primero.
Ama profundamente el sembradío
donde los surcos barbechó su mano
y a favor de las lluvias del estío
brotó la espiga, reforzóla el frío,
y en haces rubios le volvió su grano.
Ama su lengua, su carril, sus montes,
sus noches de profundos horizontes,
los arrullos que saben sus palomas,
las frutas que rebosan de sus huertos,
sus senderos frondosos y cubiertos,
las flores que se esparcen por sus lomas,
y el tristísimo campo de sus muertos.
De esa potente ebullición de amores
multiformes, fecundos,
convergentes, sin fin, dominadores,
oh, patria, naces tú, como en los mundos
lanzados a las rutas de lo inmenso,
nace la fuerza de atracción gigante
que no estorba su marcha hacia adelante
y los mantiene a todos en suspenso.

Por ti, que siendo amada eres amante,
el hombre reta y vence lo invencible.
Niños, hombres, mujeres,
en legión impasible,
por ti, que nunca mueres,
cuando tus labios cóleras fulminan,
y aunque vidas y vidas se derrumben,
¡les hablas de venganza y exterminan,
hablas de sacrificios y sucumben!

II

¡Oh, patria, gloria a ti! ¡Gloria en los siglos,
gloria en los hemisferios y en las razas,
a ti que eres ardor y eres coraje,
seno que abrigas y calor abrasas!
¡Rudo peñón que excava el oleaje
de un mar perennemente embravecido,
fuiste tú deidad que estoica y brava,
sostuvo en su valor al aguerrido
mancebo-rey de la nación, que esclava
rehusando ser el castellano intruso,
por tu amor, por tu aliento y por tu vida
al combate y la muerte se dispuso!

III

¡Oh, viril Cuauhtémoc, deja a mi canto
decir en sus estrofas, a la tierra,
que por manto imperial tuviste el manto
de la peste, del fuego, del espanto,
del dolor, de la sangre y de la guerra!
Fue tu reino un volcán en convulsiones,
lumbre de sus entrañas fue tu solio,
y al frente de tus ínclitas legiones,
con muralla de bravos corazones
te erguiste a defender tu capitolio.
En tu alma de sol no hicieron mella
de Izocoztli las negras profecías,
ni del anciano rey-Netzahualpili
la ensangrentada estrella
hizo en tu corazón oscura huella

menguando tus robustas energías.
¡En tus épicos días,
la patria agonizaba,
traicionada y sangrienta!...
las flechas no dormían en la aljaba,
como no duerme el rayo en la tormenta.
Cuando con furia el sitiador embiste,
desde la torre en que tu fe resiste,
lanzando al viento el caracol sus voces,
¡se dijera el adiós, lloroso y triste,
de tu raza y tu imperio y de tu dioses!

IV

¡Qué triste adiós! qué cuadro tan sombrío
el de aquellos rufianes sin decoro
que por única espuela a su albedrío
soñaban con volver a su bohío,
cargando sus espaldas con el oro!...
...¡Oro, placer, riquezas...
todas sus ambiciones eran ésas!
De su odioso programa, nunca escrito,
ese bien pudo ser el solo texto...
¿El rey?... ¡ése era el mito!
¿La cruz?... ¡era el pretexto!

V

Tras de lucha inmortal, larga y reñida,
ganaron los intrusos castellanos
la ciudad, en escombros convertida...
Los estoicos guerreros mexicanos,
ante el desastre de la patria herida,
despedazadas, del reñir, las manos,
que en llagas vivas el dolor convierte,
con el alma de raza ensombrecida,
liquidaron sus cuentas con la vida
sobre aquel haceldama de la muerte...

VI

También el rey cayó. Mudo y altivo,
y ya impotente su luchar postrero,

fuese el regio cautivo
ante el audaz Malinche vengativo,
cuanto buen capitán, mal caballero.
Y con serena voz y con bravura
poniéndole su mano en la cintura,
donde un acero matador advierte,
díjole, valeroso y convencido:
"Malintzin, por mi pueblo bravo y fuerte
ya contigo luché cuanto he podido;
¡mas ya que estoy vencido,
con este puñal dame la muerte..."
¡Ay! ¡cuánto más piadoso hubiera sido
de un golpe y sin temblar rasgarle el pecho,
aquel pecho esforzado en que latía
un corazón que se encontraba estrecho,
para encerrar, como en amigo techo,
aquella dulce patria en agonía!
¡Cuánto más noble, sí, que con desdoro
de su siniestro nombre y de su hazaña,
darlo a la turba vil y sin decoro,
que en un tormento, y por la sed del oro,
quemó sus miembros, con baldón de España!

VII

Más tarde... ¡Oh, Dios!... más tarde,
el *Águila** caudal encadenada
al ya por siempre lóbrego recinto
en que, por mano vil, quedó plantada
la bandera imperial de Carlos Quinto;
el *Águila* caudal se consumía
en un mutismo apesarado y hondo,
al ver cómo su pueblo descendía
por una rampa lúgubre y sombría
del desaliento y la tristeza al fondo.
...Callaba; pero un día
fue arrastrado camino a la Hibueras,
por su cruel verdugo,
que irritado por sombras de quimeras,
al rey cautivo el inculpar le plugo...

*El nombre de Cuauhtemotzin significa en náhuatl *águila que cae*.

Su *jusiticia* era pronta... Su capricho
era la ley, y la dictó de suerte
que al peso de las sombras, con su dicho
se puso a la razón un entredicho
¡y el rey pasó al regazo de la muerte!...
Los cielos no escucharon ni una queja,
su espíritu voló sin un reproche...
pero al morir... como huracán que deja
su acento en las entrañas de la noche,
una estupenda voz vibró en lo inmenso,
y estas palabras arrojó al vacío,
junto al despojo aquél, mudo y suspenso:

VIII

¡Alma de mártir-rey, sé bienvida;
"la justicia de Dios te abre su gloria:
"ya acabaste la historia de tu vida,
"llega en triunfo a la vida de la historia!
"La justicia de Dios no es nombre vano
"como es vano en los hombres el orgullo...
"no temas por tu pueblo mexicano;
"¡pasa el dolor y el porvenir es suyo!
"Tú supiste ser grande entre los grandes,
"pues lleva al mundo inmenso la esperanza
"de que primero se hundirán los andes
"que el quedar tus despojos sin venganza.
"¡Alma de luz con esplendor de día,
"clava bien tu pupila en el Oriente;
"de allá vino la negra felonía...
"pues oye; soy la patria en agonía...
"Dios les hará pagar diente por diente!"

IX

Calló la voz. El bosque estremecido
quedó en las sombras con pavor, dormido,
y cuando al alba se sintió despierto,
pudo ver, bajo el cielo rutilante,
¡un semidiós, un rey, vencido y muerto,
y un rufián español, vivo y triunfante!

CANTO SEGUNDO
I

Más de sesenta lustros, en las frías
noches del tiempo te aguardó el enigma;
pero llegaste al fin, como un Mesías,
engendrado entre cóleras sombrías,
hijo de una esperanza y de un estigma.
Llegaste, *Juárez*, indio soberano,
llegaste mansamente;
mas trajiste contigo, de lo arcano,
la señal de los tiempos en la frente,
y el rayo de los libres en la mano.
Cuando en el rudo temporal deshecho
en que la patria sin timón bregaba,
apareciste en el bajel maltrecho
empuñando las anclas del derecho
tal como empuña el gladiador su clava,
de Izancanac en el confín distante
y en su bosque de ceibas adormido,
un acento vibró por un instante,
mitad grito de amor, mitad gemido,
que hablando estremecido
con un ser invisible y expectante,
le dijo solamente... *¡Ya ha venido!*

II

Como suele el *alerta* del soldado
reproducirse entre la noche quieta,
de un lado al otro lado
del campamento triste y vigilado,
con retintín agudo de corneta,
así la voz del bosque misteriosa,
en vibraciones ríspidas y extrañas,
con volar de nocturna mariposa,
atravesó por valles y por montes,
haciendo estremecer los horizontes
y dando calosfrío a las montañas.
Con su triste y monótono silbido,
¡Ha venido!, clamaron los pinares,
¡Ha venido!, dijeron las cabañas;

y luego, de eco en eco repetido,
hasta las olas de los anchos mares
parece que decían... *¡Ha venido!...*

III

Y bien, ¿quién eras tú? ¿por qué sentía
sacudirse la patria a tu contacto?...
Con la mente de Dios que te impelía,
¿cuál era el engranaje que te unía,
y cuál, con su justicia, era tu pacto?...
Tan hondo abismo escudriñar no cabe;
lo que entre Dios y tú pasó en la sombra
¡tan sólo Dios lo sabe...!
Cual la verdad, sereno,
y como el bien, sencillo,
entraste de tus luchas al terreno
sin más blasón que el de sentirte bueno,
sin más placer que el de llegar sin brillo.

IV

Aquel pobre y medroso presidente
que de Ayutla nació, dejo la nao,
un nuevo capitán subió a su puente...
¿y qué fue lo que entonces tuvo enfrente
el indio de San Pablo Guelatao?...
Un cielo sin azul, ensombrecido,
un suelo de cadáveres sembrado,
el odio, en acicate convertido,
¡y sobre el corazón del pueblo herido
un huracán sin freno y desatado!
Desmelenada, amenazante y loca
la deidad pavorosa de la guerra,
iba, con el aliento de su boca,
como el rayo que funde lo que toca,
segando vidas y quemando tierra.
Rota la oliva de la paz, y roto
el yugo de la ley, dulce y liviano,
¿qué buscaba, en vaivén de terremoto,
aquel convulso pueblo mexicano?...
¿Qué buscaba?... que Dios se lo demande

si aquella aspiración que lo impelía
tan justa no era en sí como tan grande...
¡Buscaba libertad, que no tenía!...
Por un esfuerzo de valiente hazaña,
ya estaban extirpados los virreyes
y a sus dominios repelida España;
pero ¡ay! que nos tejió con la maraña
de sus vicios, sus sombras y sus leyes.
Nuestra emancipación fue bien extraña:
por el empuje inmenso
quedaron rotos los pesados grillos;
pero el aire guardó tufos de incienso
y la tierra hormigueros de cerquillos.
Gérmenes viles de la odiosa guerra,
nos dejó sus herencias el desgaire...
¡Pues fue preciso apisonar la tierra,
y fue preciso fumigar el aire!...
Fue en Veracruz... la heroica...
Cual rudo golpe de la lucha estoica
Juárez y sus espíritus serenos
hacen entonces que la tierra vibre,
lanzando entre relámpagos y truenos,
éste, que es dogma de los hombres buenos:
¡Dios no se impone... la conciencia es libre!

V

Ni la montaña ignívoma que estalla
esparciendo en redor rocas y fuego,
ni el empuje furente de batalla
que riñe, con el mar, Eolo ciego,
ni ambos unidos, remedar pudieran
el espasmo de rabia sin segundo
que sacudió a los turbios sedimentos,
huellas del paso de la vieja España
por nuestra historia y nuestro nuevo mundo.
En el furor de su candente saña,
¡sacrilegio!... gritaron altaneros,
y alzaron su bandera de campaña
en su campo de ortigas y zizaña
con este lema: *¡Religión y Fueros!...*

El génesis fue aquel de una epopeya
más digna de los Píndaros y Homeros
que de una pobre inspiración plebeya...
¿Cómo cantarla? ¿En dónde los cinceles
con el golpe genial de Praxiteles?...
¡Los busco en vano!...
El Gibraltar enhiesto
que el oleaje azota, cuando gime
bajo la espuela de huracán funesto,
¡es más blando que tú, *Juárez* sublime!
Yo he visto tempestades desatadas
destrozando, en las sierras, las cañadas,
en tanto que una cima blanca y pura,
más alta que otras cumbres,
se mantiene serena, allá en su altura,
sirviendo de dosel a su blancura
del torvo rayo las intensas lumbres...
¡Así tú!... Con el rayo ignipotente
del rencor, de la hiel y la venganza
bramando en torno a ti como un torrente,
tú mantuviste, sin cesar, tu frente
dentro del cielo azul de la esperanza!
A tu fe de vidente y de caudillo
no le empañaron ni la luz ni el brillo
—aun yendo, del desastre por el sulco,
del desaliento a la siniestra playa—,
¡ni el revés doloroso de Ahualulco,
ni la hecatombe vil de Tacubaya!...

VI

Un día vino al fin... ¡glorioso día!
en que, del lado en donde el sol nacía,
en bandera de luz altas sus leyes
y triunfante su heroica pertinacia,
Juárez, llegando con sus bravas greyes,
la enseña de la joven democracia
plantó sobre el cubil de los virreyes...
Mas, ¡ay!, que aunque vencidos sus guerreros
la hidra policéfala en desgracia;
la implacable teocracia,

privada de caudillos y de aceros,
sin que la asuste de infidencia el nombre,
se dio —¡serpiente!— a seducir a un hombre
en bazares de reyes extranjeros
Los Miramón, los Márquez, los Osollo,
los Zuloaga, los Cuevas... ¡eran nada!...
había que encumbrar al alto escollo,
no al familiar, al conocido criollo,
sino a un príncipe azul, de estirpe alzada...
¡Oh, pudor..., el matiz que da tu huella
ni un rostro carminó por tal delito
de los que urdieron la traición aquella,
cuando hoy, tan sólo de pensar en ella,
pasa un rojo de sangre por mi escrito...!

VII

Derramados, con tino, sus sabuesos
por los escaños de las viejas cortes,
iban, en su misión, torvos y aviesos,
con sus tramas de estúpidos procesos,
pidiendo apoyos y buscando nortes.
Si la patria infeliz reír pudiera
de tales hombres y sus burdos tratos,
con qué placer su risa estallaría
recordando que en pos de monarquía,
aquellos buscadores caricatos,
eran tan sólo, en su locura eterna,
cazando o repeliendo candidatos,
Diógenes sin pudor y sin linterna.
Y pusieron sus miras a montones,
porque del árbol regio en la cucaña
había disponibles napoleones,
y britanos, y belgas y borbones,
y hasta flamantes príncipes de España.
¿Qué alcanzaron, por fin, en su escarceo
por aquel intrincado laberinto?...
¡Dios de justicia, en tus designios creo!...
¡se trajeron al fin, como trofeo,
a un vástago imperial de Carlos Quinto!

VIII

Los rezagados de la España vieja,
los que aprendieron en su escuela rancia,
doblaron frentes a la usanza añeja
ante la joven y gentil pareja
que en su altivo pavés mandó la Francia.
Un nuevo rey... ¡qué holgorio!,
¡qué ostentosas las fiestas imperiales!
dentro del sojuzgado territorio
de la patria... ¡qué afán declamatorio,
y qué pompas aquellas medievales...!
¡Oh cuánta farsa vil, sucia y cobarde!...
Sorprendieron tu fe, Maximiliano;
te convenciste bien cuando era tarde:
¡no te llamaba el pueblo mexicano!
Y sin embargo, por destino arcano,
los actores de aquellos regocijos
malsanos y embusteros,
eran los herederos,
las larvas sin pudor, eran los hijos
de todo el grupo aquel de aventureros,
de asesinos sin fe, sin hidalguía,
que en el templo mayor, con el derroche
de los puñales que su hiel blandía,
¡dieron espanto y sombras a la noche,
luto a los cielos y vergüenza al día!
Eran los hijos de las bravas fieras
que tomando sus cóleras por leyes,
mataron un gran rey, entre dos reyes,
camino de las trágicas Hibueras...
Y tú rey soñador, y tú... ¿qué eras?
mucho más voluptuoso que estadista,
y menos rey que artista,
eras, no obstante, de la estirpe dura
del que lloró después, en su clausura,
haber dado un pendón a la conquista.

IX

Por eso, en los tres años infecundos
de tu pobre y efímero reinado,

no pudiste matar los iracundos
golpes de aquel tranquilo iluminado,
sol de Anáhuac y asombro de los mundos.
Mientras la Francia te llevó en sus brazos,
la ruda suerte tu ilusión no empaña;
pero rotos, al fin, los breves lazos,
tenía que rodar hecho pedazos
el trono de cartón de aquella hazaña.
Como un moderno Cristo en su montaña,
ya revestido de fulgor de gloria,
Juárez te vio caer, compadecido,
desde el solio de púrpura a la escoria,
¡y apelando al derecho y a la historia
sintió la calma del deber cumplido...!

X

¡Oh, martirios: oh, duelos; oh, agonías,
los de los turbios y sangrientos días
de aquella sin cuartel, épica lucha
que al fin la gloria con su manto cubre...
débil emperador, el tres de octubre
derramó mucha sangre... mucha... mucha!

XI

La tuya fue el epílogo doliente...
Dios te negó, para salvarte, escudo;
Juárez, noble y clemente,
ante el juicio de Dios dobló la frente...
si pensó en perdonarte... ¡no lo pudo!
Y una mañana espléndida de gloria
tú, que viniste a la tierra extraña
una víctima a ser propiciatoria
de la conquista y del baldón de España,
permite Dios que mueras,
no como Cuauhtémoc, en las Hibueras,
entre la sombra y con dogal al cuello,
sino de cara al sol, sobre el basalto
en que han solido reposar titanes,
en cuya cumbre, y con la frente en alto,

ruedas con tus mejores capitanes...
Los cielos no escucharon ni una queja,
tu espíritu voló sin un reproche;
pero al morir, como himno que se aleja
en las alas del viento de la noche,
una estupenda voz vibró en lo inmenso
y estas palabras arrojó al gentío
frente al despojo aquel, mudo y suspenso:

XII

"¡Serenen ya su rostro los que gimen!
Su destino fatal no es infecundo;
Dios lo empujó para lavar el crimen
con que azotó su estirpe al nuevo mundo...
¡Serenen ya su rostro los que gimen!
Por la muerte de un grande entre los grandes
Dios prometió, cual signo de esperanza,
¡hundir primero los inmensos Andes
que dejar sus despojos sin venganza!
A la doliente patria en agonía
le ordenó que atisbara hacia el oriente,
foco de la tremenda felonía...
llegó el momento... saludad el día...
¡Dios ha cobrado al fin diente por diente!"

XIII

Calló la voz. El pueblo, estremecido,
bajó la frente y se alejó sin ruido...
Poco tiempo después, sobre la plancha
de una capilla triste... embalsamado
el cadáver está del archiduque,
que fue compadecido y no salvado...
Es medianoche. Mudo y recatado
llega un hombre al recinto
en que duerme su sueño no turbado
el vástago imperial de Carlos Quinto.
El visitante se dirige al lecho

del despojo yacente;
su cabeza descubre reverente,
y cuando hubo avanzado trecho a trecho,
lo contempló en silencio... largamente...

Después, cuando en oriente aparecía
con rubias galas el naciente día,
un espíritu inmenso y expectante
que por más de tres siglos ni un instante
en sus sombras dejó de estar despierto,
vio, por fin, en la sombra vacilante
de aquel rincón desierto,
¡un monarca infeliz, vencido y muerto,
y un indio vengador, vivo y triunfante!

México 1906

TU GIGANTESCA SOMBRA SE LEVANTA

En las alas titánicas del viento
tu gigantesca sombra se levanta,
y el ancho mar con su robusto acento
tu muerte gime y tus victorias canta!
Tu nombre ilustre en la memoria evoca,
recuerdos de un pasado grande y noble;
se oye el clarín que a batallar convoca,
y atruena el eco que de roca en roca
el son repite del marcial redoble.

¡Oh genio vencedor!, cuando declina
la luz del sol tras de la azul montaña,
cuando su frente el ahuehuete inclina
con cadencia tristísima y extraña;
cuando blanda la brisa se querella,
y el lago azul arrollador murmura,
me parece mirar allá en la altura
tu sombra augusta de arrogante huella
del Iztaccíhuatl en la nieve pura.

Titán, escucha: mi cantar no es sólo
quien a las puertas de tu tumba llama;
tu nombre vuela ya de polo a polo,
y el porvenir del mundo te reclama.
Deja el sepulcro y ven; hoy, reverente
a tu recuerdo noble y sin mancilla,
viene en tropel un pueblo independiente
a inclinar ante ti la erguida frente
y a doblar, al nombrarte, la rodilla.

JOSÉ PEÓN DEL VALLE

Hijo del poeta y dramaturgo Peón Contreras, José Peón del Valle (nacido en Orizaba en 1886 y muerto en la ciudad de México en 1924) ocupa un reconocido sitial dentro de la lírica mexicana. Lo mejor de su producción son sus *Leyendas y tradiciones* así como sus *Romances de las Guerras de Independencia*. Los viajes de Peón del Valle por Europa y Norteamérica le dieron también temas para nobles ensayos. Su poema a Juárez exhibe la pulcritud y belleza de su pluma.

Yo, por la tarde, al expirar el vivo
fulgor del día tras la azul altura,
llegué a sentarme mudo y pensativo
al borde de tu triste sepultura;
y deslumbrado por tu inmensa gloria,
al violento latir del pecho mío,
repasaba de nuevo en mi memoria,
la página más bella de la historia
en ese mármol silencioso y frío.

Llegaba a mí como rumor lejano
de hirviente y espumosa catarata
que se arroja del monte al hondo llano,
y rugiendo se encrespa y se dilata,
ruido de armas, galope de bridones,
mesurado marchar, gritos de guerra
resonando en los bravos escuadrones
y el sordo retumbar de los cañones
estremeciendo la asombrada tierra.

¡Oh, cuántas veces, cuántas te he juzgado
visión gigante que fingí en un sueño:
y cuantas veces al mirarte al lado
de tu obra colosal, te vi pequeño!
¡Oh, tú, cóndor audaz que al cielo llega
con sólo desplegar altiva el ala!
¿Quién como tú, con los turbiones juega?...
Soberbio gladiador, ¿quién en la brega
tu impavidez y tu fulgor iguala?

Deja la tumba y ven; de nuevo vibre
tu voz, cuyo eco al universo asombra,
y sobre el pueblo soberano y libre
al aire flote tu severa sombra.
¡Levántate y contempla...! Tu bandera,
como un iris de paz brilla y deslumbra
y salvando la indiana cordillera,
de tu gloria arrogante mensajera,
nuestra águila caudal su vuelo encumbra.

No importa que la envidia rencorosa
quiera arrojar sobre tu fama un velo;
¡Nunca la nube negra y tempestuosa
dejó una mancha en el azul del cielo!
No importa, no; tu nombre venerado,
en bronces nuestra historia guarda escrito,
y el recuerdo inmortal de tu pasado,
astro de eterna luz, traspasa, aislado,
la inmutable región del infinito.

Fuerza y derecho

En la lid fratricida el impotente
pide favor al extraño poderoso
que rapaz aborrece y codicioso
de Colón el inmenso continente.

Tú encarnabas de un pueblo el evidente
derecho de vivir libre y glorioso
y supiste frustrar el pavoroso
morir de una nación independiente.

Contigo el guerrillero audaz se esfuerza,
porque la ley, la patria, son un hecho,
que el vigor de tu afán no hay quien lo tuerza.

Y por grande rechazas, pues, lo estrecho:
Napoleón fue el Derecho de la fuerza
y tú Juárez, la fuerza del Derecho.

José Ma. Gamboa

José Ma. Gamboa fue un poeta más bien ocasional. Nacido en México en 1856, ingresó en su calidad de abogado a la Secretaría de Relaciones, donde desempeñó diversos cargos. Murió en alta mar, después de cumplir una misión diplomática en 1911. Fue un estudioso del derecho y nos dejó un ensayo sobre las leyes constitucionales de México en el siglo XIX.

INQUEBRANTABLE Y FUERTE

Sin que lo manche la mundana escoria,
se eleva altivo, inquebrantable y fuerte,
impasible y sereno ante la muerte,
sereno e impasible en la victoria.

No codicia los lauros de la gloria
ni solicita dones de la suerte,
y en héroe legendario se convierte
ante el fallo solemne de la historia.

Luchador incansable del derecho
jamás penetra en su cerrado techo
duda fatal o femenil desmayo.

¡Roca que se alza hasta el cenit ilesa,
lo mismo cuando el céfiro la besa
que si la hiere fulgurante rayo!

ENRIQUE GONZÁLEZ MARTÍNEZ

El poeta de la fuerza, la hondura y la serenidad, Enrique González Martínez, nació en
Guadalajara, Jal. en 1871 y murió en esta capital en 1952. Frente a la artificiosidad y
el vacío de muchas formas poéticas que pretendían ampararse en el modernismo,
González Martínez se produjo en un tono capaz de profundizar la vida y darle un
sentido a todas las inquietudes del hombre.

VIS ET VIR

Al Benemérito de las Américas, Benito Juárez

No el simbólico canto de la lira y la trompa
para cantar al indio nacido entre la pompa
de la naturaleza, que sólo en su alma incrusta
amor, y hará que el canto brote y los aires rompa
de su seno de madre eternamente augusta.

Para formar el almo y perdurable coro,
la estrofa prepotente de piedra y de ramajes,
empuñarán las águilas sus clarines salvajes,
los zenzontles sus flautas y sus sistros de oro,
y el bosque de sus nervios tañerá los cordajes.

También el mar, sintiendo que bajan los titanes
por las montañas, cárcel y dogal de sus furias,
rindiendo a las oceánidas su amor y sus afanes,
soltará su algarada de roncos huracanes,
unido al infinito clamor de las centurias.

Y la selva apacible y el placentero valle
y el río proceloso y el trépido arroyuelo,
juntarán el divino susurro del ventalle
y las notas perladas, cuando la noche calle
todo rumor, porque habla sólo a la tierra el cielo.

Ella, la inmensa madre, santa naturaleza
que le engendró en su seno y le parió la vida,
es la única musa digna de la grandeza
de cantarle, con cantos de amor y de fiereza,
hoy que siente del parto renovarse la herida.

Abrió, para formarle, sus profundas entrañas
de cal y de granito y hierro en las montañas,
con que inyectó sus venas, con que amasó sus huesos,

MANUEL JOSÉ OTHÓN

Othón es uno de los grandes poetas del México moderno. Nacido en San Luis Potosí en 1858, muerto en la misma ciudad en 1906. El vasto escenario de sus poemas es trasunto del amor del poeta a la naturaleza y a la tierra, a las cuales rinde culto en los sonetos de su *Noche Rústica de los Walpurgis* y, sobre todo, de su *Idilio Salvaje*. Ofrecemos los poderosos alejandrinos del homenaje othoniano a Juárez, que envuelven al patricio en el fuego mismo de las fuerzas de la naturaleza que le vieran nacer y que le acompañaron siempre.

y erecta la figura, la perfumó de besos
y la incrustó en un bloque de prestigios y hazañas.

Y bruna como el bronce, y relampagueante
como el acero límpido de terrible montante,
se irguió, se yergue ahora, y se erguirá mañana,
apacible o colérica, sobre el dorso rampante
de cumbres que circundan la tierra americana.

Ya creado el coloso, *vis et vir,* superhombre,
le dio como caudillo a un pueblo que fue rey:
luego caudillo y pueblo tuvieron igual nombre,
y en un crisol fundiéronse y aquello se hizo hombre,
se hizo hombre, espada y fuerza, y se llamó la ley.

Y sobre su cabeza se desplegó en blancura
el cielo del crepúsculo, la nieve de las cumbres,
la espuma de los mares, Véspero que fulgura
en las noches estivas, los astrales vislumbres
de las estrellas todas, todo lo que es albura.

Se unió a ese albor inmenso la profunda esmeralda
de selvas encrespadas y florecientes llanos,
y el glauco sempiterno que ciñe cima y falda
de la gran Sierra Madre, y el que en su bronca espalda
ostentan majestuosos nuestros dos océanos...

Y a ese verde profundo, a ese blanco infinito
de dos inmensidades, vino a adunarse luego
un centellar, relámpago del sol sobre el granito,
de ingente melodía el resplandor irrito,
rojo volcán que arroja su requemante fuego.

Carmines del oriente, incendios del ocaso,
brillazones ardientes sobre el desierto raso,

fraguas de forjar lanzas y de romper cadenas,
y torrentes de sangre que arrojaron al paso
de todos los combates las mexicanas venas.

Con ese velo augusto que entretejió la tierra
y que esmaltó el espacio y que destiende el cielo
sobre el coloso indio, bruno hijo de la sierra,
se envolverá la patria en la paz y en la guerra;
que puede ser mortaja el que hoy es sacro velo.

Y aunque desaparezca la patria mexicana,
el hombre y la bandera perdurarán mañana;
que al fuego y a la sombra jamás el tiempo hiere,
y en la naturaleza divina y soberana,
ni muere la montaña, ni el sol, ni el cielo muere.

Monterrey, N. L. 21 de marzo de 1906.

ESTÁS EN LA APOTEOSIS DEL FUTURO

LA EVOCACIÓN

A veces, cuando cierro el libro en cuyas hojas
Blasfema el odio negro y ruge la ira insana,
Y claman las angustias y gritan las congojas,
Y pasa sobre un fondo de llamaradas rojas,
La procesión dantesca de la tragedia humana;

Oyendo aún el grito tremendo de la historia
Bajar, como un torrente, de las excelsitudes
En un desfile enorme cruzan por mi memoria,
Chorreando sangre y crímenes... radiantes de fe y gloria...
Abyectas o triunfales, las roncas multitudes.

En un tropel confuso, desordenado y ciego,
Que la pasión fustiga y azuza el atavismo,
Pasan las razas muertas —bravo raudal de fuego—
Que lucha, invade, asola, se va extendiendo... y luego
Se pierde entre las fauces abiertas del abismo.

Y pienso: ¡cuánto esfuerzo humilde y abnegado!
¡Qué gestación fecunda en ansias dolorosas!
Para que, como brotan los astros del nublado,
De entre la noche fría y negra del pasado,
Emerjan unas cuantas cabezas luminosas!

¡Cuánta plegaria inútil; cuánto perdido lloro!
¡Cuánto viril esfuerzo estéril e imprevisto,
Para que Esquilo anime al formidable coro,
Y Sócrates prorrumpa en cláusulas de oro
Y en un peñón abrupto se transfigure Cristo!

FRANCISCO M. OLAGUÍBEL

Nacido en la ciudad de México en 1874, Francisco M. de Olaguíbel fue uno de los poetas de las revistas *Azul* y *Moderna*, hogares ambas de las parvadas modernistas. También actuó en política Olaguíbel y se significó como orador, alineado juntamente con José María Lozano, Querido Moheno y Nemesio García Naranjo en el Congreso porfiriano, siendo conocido su grupo como el "Cuadrilátero". Su poesía es clara, nítida y sedosamente delicada. Murió en la misma ciudad de México en 1924.

Mas, oh, leyes eternas, el germen que escondido
Bajo la tierra aguarda, sin fuerzas y sin nombre,
Rompe el oscuro encierro, y se hace árbol florido...
y de la masa anónima que duerme en el olvido
El ideal de un pueblo se encarna y se hace hombre.

Y la profunda sombra de la letal marea
Del tiempo, que adelanta, como siniestra ola,
En vano avanza y crece... Ese hombre es una idea;
Una divina antorcha que luce y que flamea
Sobre el futuro incierto, inconmovible y sola.

Y vuelve el santo orgullo que a la desgracia humilla,
Y tornan a sus templos los dioses tutelares,
Y ante el prestigio inmenso que asombra y maravilla,
La admiración se inclina y dobla la rodilla
Y con fervor devoto canta tu gloria, ¡oh, Juárez!

¡Oh, padre, no te has ido; oh, padre, no estás muerto!
En nuestro amor te elevas en ascensión suprema,
Surja tu imagen épica que saludó el desierto
Y el mar vio estupefacto; deja el sepulcro yerto;
Cobra en mis versos vida y alienta en mi poema.

LA EPOPEYA

El mar es un inmenso batallador, ¿quién sabe
En el vaivén terrible y eterno de las olas,
Cuánta fiereza indómita, cuánta amargura cabe
En la llanura líquida que desfloró la nave
Al encrespar sus vórtices con lo infinito a solas?

¿Quién copia las auroras de luminosos rastros?
¿Quién tiene voz tan alta en tan alto proscenio?
¿Quién guarda hondos misterios y níveos alabastros,
Y se eleva a los cielos y refleja los astros,
Y es, como el mar, altivo, solemne y grande? —El Genio.

Fue allí; frente a la glauca inmensidad remota;
Bajo el excelso dombo del ancho firmamento,
En la ciudad invicta, cuya muralla rota
El mar, al estrellarse contra la playa azota,
y que sacude en vano el huracán violento.

Una visión, ¡oh Juárez!, iluminó tu mente,
Y ante el océano inquieto que rompe toda norma,
Se irguió sobre la duda tu espíritu vidente,
Y en explosión sagrada, colérica y rugiente,
Tronó un fragor insólito y vasto: la Reforma.

Sopló sobre tus sienes el vendaval deshecho,
Bajó el alud sombrío que arrolla y despedaza.
Mas tu conciencia indúctil donde alentó el derecho
Se acorazó en el bronce estoico de tu pecho,
Forjado con los mudos dolores de tu raza.

¡Oh, duelo!, cuanto befa o hiere de algún modo
Se levantó en tu contra: las armas, los altares,
Del anatema el rayo, de la calumnia el lodo,
La usurpación, el crimen, el fanatismo... todo,
Todo estuvo de un lado... ¡Del otro, solo, Juárez!

Pero en tu alma había la clara luz que albea
Y el sol del bien anuncia con inefable hechizo;
Tenías en tu espíritu la potestad que crea.
Con decisión profética dijiste: ¡la luz sea!
¡Y se rasgó la sombra, y al fin la luz se hizo!

No fue el albor que lucha con la tiniebla fría,
El tímido crepúsculo sobre del mar acerbo;
Fue la eclosión radiante de un rojo mediodía,
Fue todo el horizonte velado, que se abría
A la triunfal y augusta evocación del verbo.

Huyeron en derrota las viejas tradiciones,
Se iluminó la noche que la ignorancia puebla,
Y en el vetusto claustro de las supersticiones
Se rebujó en su manto de horror, hecho jirones,
Por el fulgor del día vencida, la tiniebla.

Al formidable empuje de tu potente brazo
Cayeron las cadenas que el pensamiento oprimen;
Y desataste el vínculo que unió en estrecho lazo
La Iglesia y el Estado, en secular abrazo...
Y comenzó la artera conspiración del crimen.

Después vino la lucha... Inmóvil, el arado
Cayó sobre el seno fecundo de la tierra;
Un viento de exterminio pasó por el sembrado;
De bélicas llamadas sonó el clamor airado,
Y retemblaba el suelo al paso de la guerra.

Vibraron en el aire patrióticas canciones;
Trazaba su parábola de fuego la metralla;
Rompían en estrofas de bronce los cañones,
Y el viento que agitaba los fieros pabellones
Se estremecía, al bronco fragor de la batalla.

Mientras que tú seguías, alzada la cabeza,
Erguido en la desgracia, aislado, sin auxilio,
Soberbio en tu abandono, sublime en tu pobreza...
Y en éxodo gigante, nimbado de tristeza,
Te vio pasar la senda amarga del exilio.

Y en el desierto en donde la soledad impera
Y vence la fatiga, y mata el desconsuelo,
Con ademán heroico clavaste la bandera
En cuyos nobles pliegues el águila altanera
Abre las fuertes alas para volar al cielo.

Y en tanto que soplaba la racha embravecida,
Te alzaste, silencioso, del porvenir delante;
Hiciste un holocausto supremo de tu vida,
Y halló un altar intacto la libertad herida
Bajo la tienda nómada del presidente errante.

No; tú no estabas hecho del triste barro humano
Sujeto a la inconsciente fatalidad del sino,
Polvo que al polvo vuelve, juguete del arcano,
No, tú eras un símbolo; por eso, soberano
Te yergues en la historia, más alto que el destino.

A los contrarios golpes de la enemiga fuerza
Respondías con nuevos alardes de confianza.
Poder, honores —glorias que el vendaval dispersa—
Todo arrastró la ira de la fortuna adversa;
Pero dejándote algo más grande: ¡la esperanza!

Mas no el anhelo efímero y vano que provoca
El espejismo fútil de una ilusión interna,
La aspiración informe, desatentada y loca;
No; tu esperanza inmensa, más firme que la roca,
Era la fe invencible en la justicia eterna.

Cuando por el perjurio miraste desgarrada
La ley; cuando a tu encuentro se adelantó la muerte;
Cuando la mano impía de la traición armada
Amenazó tu vida; y cuando viste en cada
Momento de infortunio que se nubló tu suerte;

Ante el feroz empuje de la invasión que espanta
Y en la cruenta ruta que lleva al ostracismo,
Ni desmayó tu espíritu, ni vaciló tu planta,
Firme, tenaz, resuelto... De la justicia santa
Sonó por fin la hora, y entonces fuiste el mismo.

¡Oh, vengador sagrado, tu amor intenso oía
De la llorosa patria el angustioso grito!
Y ante la madre exangüe, que de pesar moría,
La compasión doliente era una cobardía
Y el misericordioso perdón era un delito.

Después, tras la sorpresa del cataclismo rudo
Mientras se disipaba el trágico nublado,
El orbe, suspendido de asombro, verte pudo
Como el deber, austero; como el destino, mudo,
En pie sobre las ruinas humeantes del pasado.

Mas para que venciera tu fe de visionario
Y despertara el astro dorado de tu ensueño,
Y la verdad triunfase del mal, fue necesario
Que en cada roca estéril hallaras un Calvário
Y vieras en cada árbol un afrentoso leño.

Era preciso, ¡oh, Juárez!... El ímpetu iracundo
Pasó, como la sombra de un fúnebre delirio;
Y entonces elevaste ante la faz del mundo
La hostia que en el destierro formó tu afán fecundo
Con carne de tormento y sangre de martirio.

La tempestad vencida purificó el ambiente;
Se prodigó la tierra en más lozanas flores,
Y de la paz el iris tendióse como un puente,
Entre el pasado negro, colérico y rugiente,
Y el porvenir, radiante de juventud y amores.

ANTE LA HISTORIA

Después la muerte vino, y se dobló rendida
La frente del patricio, y como se derrumba
Un roble, en el sepulcro se desplomó su vida,
Y en el umbral sombrío el alma, suspendida,
Así entabló el supremo diálogo de la tumba:

"Yo vi a la patria inerme, por los siete puñales
Del crimen traspasado el palpitante seno;
Y levanté con manos piadosas y filiales
Su corazón, un cáliz de puros ideales..."
Y respondió la historia: "¡Bendito sé, por bueno!"

"Después, cuando el espanto llenaba los confines,
Y se mostró el destino aciago, hostil y adusto,
Cuando sopló la guerra sus fúnebres clarines
Y derramaron sangre de hermanos los Caínes,
Fui implacable..." La historia: "Bendito sé, por justo!"

"Horas de horrible duelo! ¡Amarga y triste vía!
Perdida la esperanza, triunfante el desencanto...
Nadie escuchó a la patria, convulsa en su agonía.
Yo iba al deber, impávido. En lo alto Dios veía
Y tuve fe..." La historia: "Bendito sé, por santo!"

"Como un fugaz relámpago se extingue la memoria
Del hombre, mi despojo vuelva a la tierra inerte,
Para dormir el sueño de muda paz..." La historia:
"¡Descansa en el regazo augusto de la gloria,
Y vence al negro olvido y triunfa de la muerte...!"

...Así duermes, ¡oh, Juárez!, tu figura yacente
Acaricia el recuerdo con sus aras piadosas;
Los laureles ilustres sombra dan a tu frente,
Y al callado sepulcro va la patria creyente
Y en el triste recinto riega todas sus rosas.
Y así cantan tu vida, cuando la luz desmaya,
Con sus solemnes voces las selvas seculares,
Y ante el acantilado que pone el mar a raya
O al fustigar la arena candente de la playa,
Con sus estrofas rudas los tumbos de los mares.

Te canta con sus suaves perfumes la floresta,
El fuego del crepúsculo, el sol de la mañana,
El trópico arrullado por la enervante siesta,
Las nieves inholladas sobre la cumbre enhiesta
Y con su azul divino la noche americana.

Por la justicia amado, por la razón bendito;
No hay un viril hossana que para ti no vibre;
Y tu suprema gloria se eleva al infinito
Con majestad excelsa, en el inmenso grito
De redención de un pueblo a quien hiciste libre.

¡Mas no estás en la tumba, bajo el mármol duro,
En el descanso eterno de impertubable calma;
No estás en el pasado tormentoso y oscuro.
Estás en la apoteosis radiosa del futuro;
Estás en lo inviolado y blanco de nuestra alma!

Y hoy surges, al llamado evocador, despierto,
Y en nuestro amor te elevas en ascensión suprema
Sobre las densas brumas del porvenir incierto...
¡Oh, padre, no te has ido! ¡Oh, padre, no estás muerto!
¡Cobra en mis versos vida y alienta en mi poema!

Fiesta Solar

Señor pasó la noche oscura
Hay como una iluminación...
¡Amaneció en tu sepultura
y tu elegía ya es canción!

Túnica de oro el día viste
—su juventud es esplendor—
y tu sonrisa ya no es triste
y tu bronce es blando de amor.

Hoy en tu día de cariños,
hay clara risa y hondo cielo
porque se ha sentado los niños
sobre tus rodillas de abuelo.

Cielo cordial y risas claras
llegan ahora a celebrar
tus amores: tú los amparas
gozoso en tu ropa talar...

Las manos ponen presurosas
en tus sienes el mirto fiel
y en el desmayo de tus rosas
hay un delirio de laurel.

El futuro oscuro se empina
a besar tu frente en pavura
y en tu nostalgia diamantina
solloza una lágrima pura.

Y en epinicio se convierte
al negro día del dolor...
¡En la lámpara de tu muerte
es una llama nuestro amor!

RAFAEL HELIODORO VALLE

Radicado en México e identificado con el total de nuestras realidades, Rafael Heliodoro
Valle (nacido en Tegucigalpa, Honduras, en 1891, y muerto en nuestro país en 1959)
fue un exquisito lírico, un gran periodista y un polígrafo caudaloso. Su bibliografía es
amplia y sustancial. El anterior, de suaves y armoniosas líneas, conduce el sentir de
varias generaciones centroamericanas educadas y formadas en el cariño y la devoción
por todo lo hispanoamericano.

Pasó ya la envidia violenta
y ya se ostenta tu ideal
como después de la tormenta
la mañana primaveral.

El niño de mirar más atento
te hace guirnalda y te hace coro,
y te pide le cuentes el cuento
del príncipe Barba de Oro.

Y el otro, la historia estupenda
de aquella naranja iztlán
en que se empolló la leyenda
del águila y del huracán.

Tuya es nuestra mirada absorta,
tu inquietud en nosotros está
con los desdenes del no importa
y la confianza del más allá...

En nuestro grito sin lamento
hay no sé qué trascendental:
una voz confusa en el viento,
un fuego de aurora boreal.

Místicos fuegos, grandes voces
nos mandan en la fiesta solar
comer corazones de dioses,
cuando éstos lleguen por el mar.

Danos el ritmo de tu maza,
danos la lumbre de tu afán;
¡en tu silencio habla la raza
y tu desdén en su ademán!

Sé con nosotros en el grito
y suframos en tu ideal
como en el nopal del mito
el vuelo del águila real.

SONETO

En medio de horroroso desconcierto
surgiste como un alba redentora,
y nos guiaste a la cima salvadora
al través del Mar Rojo y el desierto.

Y dictaste magnánimo y experto
las tablas de tu ley benefactora,
y poniendo a la luz la blanca prora
señalaste a la patria rumbo cierto.

Y creíste, señor, en la victoria,
y confiaste, sereno, en la grandeza
futura de tu pueblo, y en la gloria.

transfigurado hundiste la cabeza...
mas, despierta, señor, contempla el caos,
y otra vez di a tu pueblo: "¡Levantaos!"

Mérida, Yuc., abril de 1907.

JOSÉ MA. PINO SUÁREZ

Don José Ma. Pino Suárez, nacido en Tenosique, estado de Tabasco, en 1869, fue un hombre de letras. A su titulación y ejercicio del abogacía, Pino Suárez agrega su calidad de poeta, según nos deja ver en dos libros de versos: *Melancolías* y *Procelarias*. Antes de embarcarse en la gran aventura de pelear contra la dictadura de Díaz, dirige en Yucatán el periódico *El Peninsular*. Gran patriota, en 1913 cayó sacrificado en su jerarquía de vicepresidente de la república, al lado del apóstol Madero. Admiremos en el soneto a Juárez que reproducimos, sus calidades proféticas ya en 1907, fecha de tal composición.

EN LA TUMBA DE JUÁREZ

¡Manes del héroe cantado!, ¡sombra solemne y austera!
Hoy que de todos los vientos llegan los hombres en coro,
echan la sal en el fuego y, al derramar la patera,
dicen el texto sagrado de gratitud, y el decoro
del pavimento se exalta con los licores y mieles;
y con tu lanza de piedra, y con tu escudo de pieles
vienes a oír los cien himnos de las cien bocas, y el quieto
aire se anima de pronto con tu carcaj, que repleto
de las aljabas sonoras a tus espaldas resuena:
hoy que por montes y campos se oye triunfal caracol
yergues la estoica figura bajo la lumbre del sol;
hoy que a tu influencia divina gana espanto a los seres,
y que combaten las águilas entre las nubes, y el rudo
Genio del bosque despierta toda su fauna, pues eres
el Domador de los Tigres, y con tu lanza y tu escudo
vienes a oír nuestros himnos: pues con tu clava titánica
grave dominas, y el ceño torvo contraes, y ahuyenta
sorda tu cólera el brío de los guerreros, y grávida
se hincha la tierra en volcanes a tu mandato, y violenta-
mente su entraña vomita, para servir tus hazañas,
armas forjadas a fuego dentro de las propias entrañas,
¡alto, Señor de la Selva!, por tu vigor primitivo,
¡salve!; por las armaduras y las coronas deshechas
que con estrago derrumbas a tu poder; por el vivo
hálito heroico que insuflas a tus designios audaces,
¡salve, maestro del arco!, por la virtud de tus flechas
con que clavaste en el cielo rojas estrellas fugaces!

Camina con bíblico ceño, y su sombra, en desiertos y eriales
echa germen, y abona, y provoca, los verdes ilustres rosales.
Ánimo sobrio y rígido de los primeros romanos
que, con interno furor, indignaciones cultiva,

ALFONSO REYES

El gran humanista, verdadero maestro del saber universal, Alfonso Reyes, ante la estatua de mármol del presidente Juárez produce, el 18 de julio de 1908, aniversario de la muerte del patricio, el poema en hexámetros que reproducimos. Don Alfonso Reyes nació en Monterrey en 1889 y murió en la ciudad de México en 1959.

hasta que el fuego madura, y hace brotar de las manos
todos los rayos, y enciende todas las cumbres, y aviva
todas las fuerzas del aire, y siembra pavor en los llanos.

Va en romería seguido de augures, poetas, guerreros
que soplan las trompas tremendas por derribar la muralla.
Tiembla el cielo un instante: páranse a ver los romeros:
toda la luz, de pronto, se condensa en aurora, que estalla,
desde el zenit a la tierra, en lluvia de sangre potente;
alzan los hombres los brazos: buscan al Ojo Clemente;
cantan los propios esclavos, sacudiendo la grave cadena;
gana el espanto a los seres, se oye el triunfal caracol,
y, oh, vencedor de dragones, héroe cantado: serena
yergues la estoica figura bajo la lumbre del sol.
Tal como, al alba, la luna se licua en el lácteo vano,
tal palidece de súbito el cándido Maximiliano.

Vengan de lejos las gentes catando los innumerables
himnos; los nobles proyectos rememoren los bélicos años:
emprendan la danza heroica los adolescentes amables;
írganse rotas banderas; oigan hasta los extraños
el ruido glorioso y espléndido del júbilo nuestro sonoro;
luzcan, de día, los astros sus cinco fulgores de oro;
presida la sombra de Píndaro en el triunfo de los gladiadores:

"¡Io Peán!", los oráculos aconsejan el canto, cantores.
Y ancianos y adultos y niños celebren el aniversario,
los unos callados, los otros disertos, los otros locuaces.
La pulsación de la tierra se agita: en el ímpetu agrario,
se rebela empujando los tallos. Y las fieras están voraces,
los pájaros gritan y asordan. Nosotros, vestidos los ánimos,
de orgullo y respeto, traemos hasta el lugar funerario
la vieja oración que aprendimos, los votos, el hereditario
ritual. Y los prístinos manes de los abuelos magnánimos,
oyen la misma plegaria caída de labios paternos,
—herencia común y tesoro, vigor de la raza—. Nosotros
nos damos el gozo franco que, como los ritmos eternos,
año por año renace, prende en amor a los potros,

conmueve las ansias dormidas, revela las fuentes oscuras,
sopla lujuria en la selva, quema las castas cinturas
—¡oh, Primavera!— y abruma el aire de polen, de frutos
los árboles, bulle los gérmenes, atiza el fecundo calor;
y año por año nos rinde, para servir los tributos
en la calenda de julio, una cosecha de amor.

El aire encantado aguarda la voz de las vírgenes; yedra
corona las sienes. Lleguemos al catafalco de piedra,
hoy que, anunciado a los pueblos por el triunfal caracol,
yérguese el héroe, gigante, bajo la lumbre del sol.

18 de julio de 1908.

ANTE EL MÁRMOL DE SU MONUMENTO

Y fue del seno de la noche oscura
de una raza infeliz, heroica y triste,
del que brotó, serena, tu figura.

No, efímero relámpago, prendiste
por un instante al horizonte, el fuego
de un sideral y lívido amatiste.

No relumbraste en la tiniebla, y luego
extinto a tu fulgor, quedóse el mundo
más hirviente de sombras y más ciego.

No, señor; fue tu brillo, en lo profundo
de la terrible noche de la raza
hundida en un sopor meditabundo,

perenne antorcha que el pavor rechaza,
fanal insomne que a los vientos reta,
astro que resplandece y amenaza.

He aquí por qué la multitud inquieta
agítase; y estamos frente a frente,
tú, la inmortalidad, y yo, el poeta.

Inmenso y grave tú; yo reverente
y humilde; tú, marmorizado ensueño:
yo, voz que canta y átomo que siente.

He aquí llegar con religioso empeño
a ti —lo grande, el símbolo que dura;
al hombre— lo que pasa, lo pequeño.

Pero al pasar su pequeñez, depura
la vida, y de tu carne, ayer morena,
hace hoy, por fin, escultural blancura.

LUIS G. URBINA

Exquisitamente romántico, Luis G. Urbina (1864-1934) supo dibujar los más bellos
paisajes mexicanos, glosando también la ancestral tristeza de la raza que, al modo de
una vieja lágrima, se filtra aún en muchos de nosotros. Ante el monumento a Juárez,
Urbina produjo esta noble y sentida oración en 1910.

Y no se alza tu imagen más serena,
ni más radiante está de lo que entonces
fue en medio a la tenaz lucha terrena.

La puerta del no ser giró en sus gonces
y entraste tú, llevando hasta la muerte
el color y la fuerza de los bronces.

Y así, señor, quisiste engrandecerte
y penetrar severo en el combate,
y así, morir en él, tranquilo y fuerte.

¡Late, soberbio mármol! Late, late,
cual si tuvieses corazón; te lleva
el pueblo en su alma como a dios penate.

Y tu memoria en cada hogar renueva
la gran veneración por el que pudo
surgir del negro fondo de la gleba;

por el que fue una voz del triste y mudo
genio del conquistado que aún se asombra
con la feral visión del férreo escudo;

y por aquel que el indio llama y nombra,
cuando quiere mirar, como Tobías,
a un ángel blanco en medio de la sombra.

Tramontaron los soles de tus días
penosos, y el derecho, tu bandera,
ampara nuestras dulces alegrías.

El azul de tu cielo reverbera
con flamante esplendor, con el anhelo
de dar al aire luz de primavera,

oro y diafanidad, para que el vuelo
de las almas se bañe en la infinita
claridad milagrosa de tu cielo.

Todo florece en paz —la paz bendita;
la paloma del arca que atraviesa
la nube, y la esperanza resucita.

Brilla tu monumento en la turquesa
del fulgor matinal, y hasta el ramaje
parece que se inclina y que te besa.

En ti reposarán de su viaje
azul, las golondrinas bulliciosas,
sacudiéndose el polvo del plumaje.

Hasta ti llegarán las mariposas,
y te enviarán perfumes en el viento
los rojos incensarios de las rosas.

Vela en la majestad del monumento
gran héroe de la ley, como en la vida:
recogido en un noble pensamiento.

Del bloque mismo en el que fue esculpida
tu imagen, evocaron los cinceles
el simbólico grupo que te cuida.

Y en la blanca materia, tus laureles
se vuelven perdurables, y así miras
que la patria y la gloria te son fieles.

No provocas temor ni odios inspiras;
pero quedó sobre tu ceño adusto
el resplandor de las sagradas iras.

Salvaste a la república en tu augusto
deber. Señor, estás aquí por eso,
y porque fuiste grande y fuiste justo.

En tus hombros de atlante cayó el peso
del porvenir; tuviste la energía
de conducir un mundo hacia el progreso

a través del dolor y la agonía.
La patria, al recordar tus heroísmos,
se estremece de orgullo todavía.

Porque entre sus terribles cataclismos
y su fastos gloriosos, señor, eres
como una luz que alumbra los abismos.

Ni el odio temas, ni el olvido esperes:
no es efímera y vana tu grandeza.
¿Vive la libertad? Pues tú no mueres.

La apoteosis inmortal empieza;
la de tu raza en ti, la que parece
una gran sombra en una gran tristeza.

La que, fosca y callada, languidece,
y en su informe quimera primitiva,
no sé qué sueños pavorosos mece.

Padre, es preciso que tu raza viva;
ella fue heroica como tú; es preciso
que recobre la fe tu raza altiva.

Padre, de tu cabaña, de improviso,
salió firme, tenaz, clarividente,
como un fulgor de paraíso,

tu alma indígena... Entonces, en oriente
hubo aurora, y el sol de tus montañas
con flecha de oro se clavó en tu frente.

Y fuiste conductor del pueblo —¡extrañas
vidas, las que esperáis a que el sol hiera,
con su dardo de luz, vuestras cabañas,

mirad este alto ejemplo! —Lisonjera
es la esperanza. ¡Oh, padre! Pero dime,
¿se cambiará el erial en sementera?

Tú, el hombre de la fe, la fe sublime,
para sembrar, da nervio a nuestra mano,
y en nuestras almas tu vigor imprime.

Que en el glorioso "excelsis" soberano,
se cante el nombre del plebeyo fuerte,
de austeridad viril, como un romano;

que en nuestro libre espíritu despierte
la admiración por ti, cuya existencia
tranquila y pura sorprendió la muerte.

Que nos envuelva, cual divina esencia,
la libertad, pues que también nos diste
la santa libertad de la conciencia.

Y que en el fondo de tu raza triste
se encienda el ideal, como en la oscura
noche se enciende un pálido amatiste.

Que se levante siempre la blancura
de tu soberbio mármol; que las rosas
incensen con fragancias tu figura.

Que suban hasta ti las mariposas,
que a ti vengan los pájaros contentos
a sacudir las alas temblorosas.

Que te ofrezca la cauda de los vientos,
bañados, cual las aves en rocío,
en lágrimas de amor, los pensamientos.

Y así como en la paz, en la contienda,
en dócil calma o en furor bravío,
como a una ara magnífica y tremenda,
llegue a regar las flores de su ofrenda
y a bendecirte, el pueblo, ¡padre mío!

17 de septiembre de 1910.

APÓSTROFE A MÉXICO

Méjico: de glorias suma,
de altas empresas dechado;
suelo imperial, fecundado
por sangre de Moctezuma;
jardín que riega de espuma
tu golfo azul y sonoro;
preciado y rico tesoro
que, con sangriento destello,
hirió la frente del bello
príncipe barba de oro.

Patria de héroes y de vates,
cenáculo de áureas liras;
bravo y terrible en tus iras,
victorioso en tus combates;
si contraria frente abates,
coronas gloriosa frente;
y te levantas potente
y orlado, a la luz del día,
¡como tu águila bravía
devorando a la serpiente!

RUBÉN DARÍO

El nombre de Rubén Darío es, en verdad, el primer nombre universal que inscribe a nuestros países en la literatura mayor de nuestra lengua. En el viaje que emprendió Darío en 1910, con la representación de su patria, a las fiestas del centenario de la independencia mexicana, y el cual le fue frustrado por más de una presión del exterior, consagró a México el anterior "Apóstrofe" al modo de un saludo.

ODA CÍVICA

En la inauguración del monumento a don
Benito Juárez en la República de Guatemala

Canto este viejo tronco de la montaña azteca
poblada ancestralmente de genios y vestiglos;
y el torbellino alado de su hojarasca seca,
que levanta en los aires su columna de siglos.

Canto este viejo tronco de heroicas cicatrices,
erguido entre el tumulto de las banderas rojas;
canto al sudor de sangre que baña sus raíces
y el viento de cien años que pasa por sus hojas...

Y fue en la medianoche de América. Y el coro
de todos nuestros héroes se reunió en un puño.
Imperativamente sonó un clarín de oro;
y otro héroe, en cuyas sienes el sol grabó su cuño,
llegó, con tal reposo por largo derrotero,
como si en cada paso midiese un siglo entero.

En ese coro estaba Bolívar el primero,
enarbolando el iris de su bandera. Un día
saltó a la peña que abre, como si fuese un brazo,
del crespo Tequendama la majestad bravía;
y recogió del fondo del agua aquel chispazo
de que hizo la bandera que luego, en su osadía,
clavó en las irisadas nieves del Chimborazo.

Y el dios recibió en júbilo al héroe que venía.
Traía él las sienes opresas entre abrojos,
el rayo, el tibio rayo de la melancolía
en las alucinantes cavernas de sus ojos,
y la fatiga eterna del heroísmo vano

JOSÉ SANTOS CHOCANO

El cantor de toda grandeza virreinal, que extendió la brillantez de su verso al paisaje de
América y a sus héroes más significativos —hablamos naturalmente de José Santos
Chocano—, celebra en la siguiente "Oda cívica" la gloria del patricio en ocasión del
monumento que erigió a Juárez en la vecina ciudad de Guatemala. Amigo de México,
el peruano Santos Chocano recorrió la geografía de nuestra patria en los días de la
Revolución, iniciada en 1910, dejándonos sonetos a Cuauhtémoc y otros héroes antes
de llorar la muerte del presidente Madero en 1913. El poeta nació en 1875 y murió en
1934.

en las desnudas plantas que, por la selva umbría,
supieron de la piedra, la zarza y el pantano
y entraron en la gloria sangrando todavía...

¿Quién era aquel trasunto de la vetusta raza,
digno de que, en la pompa de un medallón guerrero,
pusiérase en su diestra la abrumadora maza
y en su siniestra el disco de un gran broquel de cuero?
Él era como un tronco que tuviese conciencia
en una fluorescencia de heroicos desengaños:
era la copa viva que recogió la esencia
filtrada por los indios en novecientos años.

Él entonó los himnos con que cantaba al sol
la imperativa musa de Netzahualcoyotl;
él recogió las flechas finas como miradas
que dejó en diez mil troncos Quentlatohuatl clavadas;
él aprendió la frase sin protesta ni ruego
con que Cuauhtémoc puso las plantas en el fuego;
y él soñó en una patria que fuese como una
Zochipapalot, hecha de sol y algo de luna...

Se le obstinó la suerte como un corcel salvaje
que se encabrita al borde del antro; y sin rendaje,
sin espuelas, cogido de la gran crin sonora,
jinete de los siglos, está corriendo ahora...
Y el ritmo de los cascos de ese galope arranca
chispas para sus ojos, flores para su frente:
clavó la última flecha de la estirpe, en el anca;
y, así partió hacia el viejo nopal de la serpiente.
Después del día en que hizo girar sobre su gonce
las puertas de la gloria, volvió a las soledades;
y, eternamente encima de su corcel de bronce,
aún corre por las selvas atravesando edades...

Juárez: no has concluido; Juárez: corre a lo largo
de este mar de Balboa no vanamente amargo...
Ya ves tú como el istmo de Morazán te aclama;
retumbos de volcanes son trompas de tu fama.
Corre, corre, atraviesa todo mi continente:

poeta del sur, hago que mi alabanza vibre
para invitarte al éxodo hacia mi patria ausente.
¡Oh, el caballero andante de la conciencia libre!
El día en que el estrecho llegue a escuchar tus bronces,
todos seremos fuertes, todos seremos grandes;
y, cual soñó Bolívar, han de formar ya entonces...
la misma cordillera los pueblos que los Andes...

EN BRONCE O MÁRMOL REGIO

¿Es un día de fiesta o es un día de duelo?
¿Es un día de pena o es un día de amor?
¿Qué será cuando un astro aparece en el cielo?
¿Qué será cuando en tierra aparece una flor?

¿Qué será cuando un alma por amar se consume?
¿Qué será cuando el cuerpo se difunde en amar?
¿Qué será cuando el aire se disputa un perfume?
¿Y cuando el pensamiento se propone crear?

¿Qué no oís ese ruido que en el alma resuena?
¿Y ese raudo aleteo como de eternidad?
¡Son dos manos de cíclope rompiendo una cadena
y dos alas que vuelan hacia la libertad!

¿No escucháis ese paso que ni la muerte trunca,
y esa voz que se ahonda como ninguna voz?
¡Es el andar de un grande que no se muere nunca
y la palabra misma de un verdadero Dios!

En las horas solemnes que la fecha cautiva
y en los días siniestros por los que vamos hoy,
el mármol se hace espíritu y el bronce carne viva
para decir al pueblo: "Toda tu patria soy".

Y en las horas solemnes de las noches, entonces,
al indio soplan hálitos cual de resurrección;
y vestido de mármol o cubierto de bronces,
busca un milagro enérgico a nuestra salvación.

De montaña granítica él tuvo la constancia
para hacer una cumbre con su espíritu audaz;

MANUEL GARCÍA JURADO

Manuel García Jurado, nacido en Campeche en 1882, fue un exquisito cantor de la belleza de los trópicos. Encerró sus fastuosidades en forma sedosa en las acuarelas de sus sonetos entre las cuales destacan las consagradas a la garza, que "es un punto de nieve con que cierra su poema de púrpura la tarde". De cuando en cuando, empero, García Jurado excursionaba por los campos de la poesía civil. De aquí poemas como el que consagra a Juárez este artista (que también fue director de *El Dictamen* en Veracruz y secretario de gobierno en el período constitucionalista). García Jurado murió en La Habana, Cuba, en 1920.

y dio a los cuatro vientos la mística fragancia
de libertad olímpica y redentora paz.

Él puso con cuidado paterno en la conciencia
en vez de fanatismos que ciegan la verdad,
la fe de un credo libre basado en la evidencia
que a hipocresía opone noble sinceridad.

Él fue la patria enfrente de la invasión francesa
y la vergüenza heroica por sobre la traición.
¡Y si Maximiliano cantó "La Marsellesa",
con un "ahora o nunca" nuestro himno contestó!

Ahora vedlo: pasa, hundido el entrecejo,
y en bronce o mármol regio, recorre Veracruz;
alienta con su historia, nos brinda su consejo,
y viene a soliviarnos la carga de la cruz.

Y aunque de noche surge, él sólo hace una aurora,
en magnitud esplende y asombra su virtud,
y del gemelo brazo de Gutiérrez Zamora
arenga emocionado a nuestra juventud.

"¡Velad por el pasado que entraña el holocausto
de una obra perdurable: nuestra Constitución.
Cuando la obra muera, el día será infausto,
porque en la obra puse todo mi corazón.

"Yo traigo del pasado, de Hidalgo y de Morelos,
la voz de un patriotismo que no ha de tener fin;
¡Matad al fratricidio; ya Dios clavó en los cielos
el ojo que persigue la fuga de Caín!".

Y las estatuas andan; dejaron solitarios
los zócalos que ostentan orgullo y pedestal.
Y es Juárez por doquiera viviendo los calvarios
del pueblo que le guarda con hondo amor filial.

¿Qué no miráis el símbolo contra terror y pena
por la gloria bendito sobre la eternidad?
¡Son dos manos de cíclope que han roto una cadena,
y dos alas de cóndor hacia la libertad!

Veracruz, Ver., 18 de julio de 1913.

EL INDIO DE BRONCE

Padre, perdón. Mi canto no tiene otra grandeza,
que en las pompas rituales el humo del incienso...
No existe humano ritmo que abarque tu proeza;
que sólo el ritmo eterno de la naturaleza
es digno comentario de tu valer inmenso.

Dame una chispa, sólo, de tu infinita lumbre;
vuelque en mi sombra un vívido fulgor, tu claridad.
Y que mi verso, raudo como un halcón, se encumbre
hasta el aislado vértice más alto de la cumbre
a cuyos flancos miras correr la eternidad.

No lágrimas, no quejas, no duelos, no crespones,
extiendo gemebundo sobre tu mausoleo.
Te traigo de la púber América los dones
en el himno que elevan a ti los corazones,
más grande y milagroso que un cántico de Orfeo.

¿En qué bronce indomable vaciaron tus perfiles;
qué soplo prometeico te insufla el corazón:
qué medulas leoninas nutrieron tus abriles:
en qué ignorada Estigia te crismaron Aquiles;
fue tu maestro, acaso, el centauro Quirón?...

En el severo marco de una sangrienta aurora
y con un gesto inmóvil de firmeza tenaz,
miro surgir tu grave figura redentora
que empuña una implacable piqueta destructora...
Pero también se advierte la escuadra y el compás.

La noche de Walpurgis macabra se derrumba
sobre tu frente brava donde se estrella el mito;
y un enorme murciélago de cripta y catacumba,

RAFAEL LÓPEZ

Heredero del lujo y el esplendor rubendarianos, Rafael López fue autor de exaltación
wagneriana, como los que consagra a Juárez, y de exquisitas joyas, no exentas de ironía,
como el soneto en que dibuja el perfil de Maximiliano de Habsburgo. Rafael López
nació en Guanajuato en 1873 y murió en la ciudad de México en 1943. Fue dueño
también de una prosa barroca y preciosista con la que influyó, inclusive, en las crónicas
que daba a la prensa Ramón López Velarde.

en vano te persigue y en tus oídos zumba
su maldición inútil y su espantable grito.

Gravemente impasible, fatal, mientras fulmíneo
se gesta en tu alma el rayo contra el perjuicio falso,
en cuántas avalanchas persistentes rectilíneo;
y en los amargos éxodos, impávido y broncíneo,
cuántas espinas domas bajo tu pie descalzo.

Y fue el golpe de ariete. Jamás el sol ha visto
en concepción y en obra tan formidable ejemplo:
mientras te dan las bulas aspecto de Mefisto,
sacudes en tu látigo las cóleras de Cristo
y limpias de impurezas los pórticos del templo.

Sí; fue un golpe de ariete. Estruendos de rebato
llegan hasta el Olimpo que partirás en dos...
Y tú, el iconoclasta sin ley, el insensato,
eres el que interpreta el bíblico mandato:
al César, lo del César; a Dios, lo que es de Dios.

Y en tu montaña augusta radiante de reflejos,
sobre el silencio pánico de la espantada grey,
arrojas ente nubes de torvos entrecejos
surcadas de flamígeros relámpagos bermejos,
con ademán mosaico las tablas de tu Ley...

(Oh tú, maestro Prieto, taumaturgo divino,
que en escudo transformas la lira y en coraza,
y para que se cumplan los fines del destino,
vibras la espada ardiente de un verso alejandrino
y a la traición rescatas el genio de la raza;
tú que del pueblo juntas en elocuente grito,
dolores y esperanzas y penas y alegrías;
que de los inmortales pareces el proscrito:
ya es tiempo que un recuerdo de bronce y de granito
te arranque de tus hondas e injustas gemonías.)

Aún ennegrece el cielo la nublazón oscura
de aquel gran cataclismo, cuando surca la mar
un bergantín extraño de airosa arboladura...

Y oye el piloto rubio tras de la singladura,
que las sirenas cantan: reinar... reinar... reinar...

Mas la canción se trunca cuando contigo choca:
un Hamlet inflexible y oculto en tu rigor
apaga la sonrisa que iluminó la boca
de aquella infausta Ofelia, de la princesa loca,
que ambula entre fantásticas visiones de esplendor.

Así te admiró el mundo con trágicos asombros
en el relieve inmenso que de la historia exhumo,
alzando la República triunfal en los escombros
junto a una cruz, que sella con sus severos hombros
el sueño del Imperio que se deshizo en humo.

Por eso dijo el vate cuya intuición suprema
en obra perdurable tus hechos atestigua:
En una barca de oro que visionario rema
vino el príncipe artista soñando en un poema...
y se encontró la máscara de la Tragedia Antigua.

Padre, perdón. No puedo llegar a tu proeza.
Se pierde en tu infinito mi nébula de incienso.
Sólo el silencio es grande también, cual tu grandeza.
Sólo el gigante ritmo de la naturaleza
es digno comentario de tu valer inmenso.

El tumbo de los mares, los empinados riscos
de las eternas cumbres como tu gloria indemnes;
el ritmo de los astros de fulgurantes discos;
las selvas que levantan sus cien mil obeliscos;
la euritmia de las cuatro estaciones solemnes.

Inútiles las sátiras de serpentino alarde;
tu sangre en nuestra sangre más pura se trasfunde.
Y ve Pasquino falso, sofístico y cobarde,
que tu memoria triunfa, se desparrama y arde
como la aurora mágica cuando la noche se hunde.

Inútiles las piedras tombales, los sudarios;
los siglos te agigantan y en los terrestres velos
se nutren tus raíces con los aniversarios;
y como ciertos árboles que cuentan centenarios,
lanzas tus frondas, siempre más verdes, a los cielos.

VINO DEL ZEMPOALTÉPETL

Vino del Zempoaltépetl. De las veinte montañas
que anudan sus crestones en la sierra de Ixtlán,
como crispados puños, en cuyas torvas sañas
dispersan sus cuadrigas las águilas hurañas
y rompe su bigarro sonoro el huracán.

Nació en el nudo andino que allí en dos se rotura,
echando en las planicies de Anáhuac, como brazos,
las vastas cordilleras que en nostalgia de altura
alzan Popocatépetls y empinan Chimborazos.

Fue cóndor de esas cumbres. Rodó en esos barrancos
en donde tiene el ágil jaguar sus espeluncas.
Fue roble de esa tierra bravía, en cuyos flancos
clavan los mares indios sus cabelleras truncas.

Él mismo era un aislado trozo de cumbre andina
lleno de sol. Con la virtud casi divina
de las cosas inmóviles. Con la total firmeza
en que esculpió su vida tallada de una pieza.

De su montaña un día bajó pobre y desnudo,
con el grave secreto de un gran destino mudo
y hundido como una prodigiosa simiente
en el leonino surco vertical de la frente.

Era su frente oscura del color de la gleba
en que perpetuamente la vida se renueva.

Cual un agrario bloque, como un firme peñasco,
como la tierra humilde por él beneficiada
y donde está el sangriento camino de Damasco
que abrió con la profunda señal de su pisada.

Hecho a planos macizos y bruscos, de cantiles
en donde la marea se encrespa y despedaza,
fue su austero semblante hierático. La traza
de su labor excelsa quedó en esos perfiles
soldados con el bronce más fuerte de la raza.

A los mixtecas fieros, a los broncos chontales,
robó el adusto ceño viril. De los breñales
de las cejas hirsutas, inflexible y arcana,
clavó sobre los dioses la mirada sombría
como una flecha, como la punta de obsidiana
que el gran arco azteca destructora partía.

Serena en la borrasca, soberbiamente vuela
el ala del albatros tendida en la procela.

Cuando el zagal de ovejas fue pastor de bisontes,
no abandonó el cayado. Mientras la tempestad
con un tropel de truenos llenó los horizontes,
al frente del rebaño, por valles y por montes,
él iba rectilíneo rumbo a la libertad.

Daba su sombra a toda la república entera
como un mástil en donde se extiende una bandera.

En los éxodos largos, de esperanza cubierto
y de fe milagrosa con su impávido arrojo
cegó el cóncavo abismo del pasado, aún abierto;
multiplicó los panes en medio del desierto
y atravesó a pie enjuto las aguas de Mar Rojo.

Pasó bajo tormentas, alzando sobre espinas
la redentora carga de un gran deber. Entonces
sembraba las coronas que hoy sueltan las encinas
sobre su altar. Sembraba las cosechas divinas
de los insignes mármoles y los eternos bronces.

Todo se rompe en su firmeza de montaña:
los tronos y los dogmas. De la invasión extraña
quedó a poco marchita, tronchada en la derrota,
la regia flor de Habsburgo como un despojo frío;
cayó trágicamente despetalada y rota
en la mañana dulce de un luminoso estío.

Y fue encendido faro que vuelca en la negrura
de la conciencia humana, lumbre celeste y pura.

Por eso de la muerte que todo lo derrumba,
en orgullosos mármoles resucitado fue.
La luz de la conciencia libre no tiene tumba:
en medio de su pueblo siempre estará de pie.

MAXIMILIANO

Vino el hermoso príncipe. Rubio, ojiazul, de frente
lisa —página en blanco que no enturbia un dolor.
Luenga y en dos partida la barba, fluvialmente
desborda sobre el pecho su dorado esplendor.

La Cruz de Guadalupe, de heráldica incipiente
brilla en los besamanos y en las fiestas de honor.
Las damas al tedéum de Catedral. La gente
ria y boba corea: viva el Emperador.

Pobre Max. Sólo queda de la ciega aventura
que llevan de la mano la muerte y la locura,
una canción burlesca, cinco balas de plomo,

que motean de humo la mañana estival;
y objetos empolvados en el Museo, como
viejas decoraciones de una pieza teatral.

Nuestra bandera

Escuchad una página bella de nuestra historia:
Era un mayo en que México, vencido cual Pretoria,
en las garras de tigre del invasor caía,
y Juárez como Krüger, hacia el desierto huía.
El indio taciturno, del palacio a las puertas,
alzó por la vez última los ojos. Las desiertas
almenas, dentellaban la mansión de Virreyes
transformada en santuario de libérrimas leyes;
y en el frontón del pórtico crepitaba a los vientos
la bandera del águila de los héroes sangrientos.

Juárez sintió en el alma un dolor infinito:
la bandera, entre tanto que él erraba proscrito,
¿iba a ser profanada?... ¡Jamás! ¡Los invasores
saludar no debían los divinos colores
emblema de la patria vencida! Y el patricio
impasible en el trance del tremendo suplicio,
hizo arriar la bandera cuya púrpura ungida
era sangre preciosa por mil héroes vertida,
cuya franja esmeráldica era dulce esperanza,
cuya blancura nívea encarnó paz y alianza.
El patricio, en presencia de sus ministros fieles,
guardó el sagrado símbolo, piafaron los corceles,
y el héroe en su carruaje partió en pos de la gloria
como el anciano Krüger huyendo de Pretoria.

Peregrinó hacia el norte, atravesó el desierto,
padeció sed y hambre a orillas del Mar Muerto,
marcó su larga ruta un reguero de osario,
tuvo su Getsemaní y tuvo su Calvario...
Pero llevando siempre los despojos sagrados
cual Arca de la Alianza de los Inmaculados.

RUBÉN M. CAMPOS

En todas las bibliotecas mexicanas que se respetan a sí mismas existen los volúmenes
sobre el folclor nacional, tanto literario como de la música, de Rubén M. Campos,
ilustre guanajuatense nacido en 1876 y fallecido en 1945. Ameno erudito, Campos fue
también uno de los poetas modernistas más significativos. Su obra lírica no queda
plenamente recogida en su libro *La flauta de pan*, sino que deambula con los capítulos
de sus novelas, en periódicos y revistas de la época. Cofundador de *La Revista Moderna*
dirigió, un tiempo, *La Gaceta Musical*.

De pronto la república en despertar potente,
cual si regase lavas en erupción candente,
de montañas a valles arroja guerrilleros
que tan sólo pudieron emular los boeros;
reconquista los campos y las ciudades sitia;
la irrupción, cual las hordas bárbaras de la Escitia,
penetra hasta el Anáhuac como Atila en el Lacio,
sitia a México, y hace entrega del palacio,
Kewenhïller, el príncipe de los bravos austriacos,
a Díaz, el caudillo de los bravos chinacos.
Entonces el patricio, Juárez el Benemérito,
regresa victorioso de infortunio pretérito;
viene a ocupar la antigua mansión de los virreyes
transformada en santuario de libérrimas leyes,
baja de su carruaje, detiénese a las puertas,
y antes de hollar triunfante las arcadas desiertas,
descubre la bandera que siempre trae consigo
porque es su ángel custodio y su mejor amigo,
manda izarla, y al toque de clarines y bronces,
saluda a la bandera salvada desde entonces.

De Hidalgo esa bandera la sangre ha empurpurado,
la sangre de mil héroes su sangre ha renovado:
Morelos, Matamoros, Guerrero, Aldama, Allende
y Salazar y Ocampo la sangre roja enciende:
Chapultepec nos dice que su matiz bermejo
es sangre de héroes niños y de Bravo, héroe viejo.

La lección del patricio guardemos, mis hermanos.
Por nuestra dicha viven soldados veteranos
que han regado con sangre también esa bandera
salvándola inviolada y triunfante doquiera.
¡Es ella nuestro símbolo. La herencia bendecida
de mártires sagrados que inmolaron su vida
por legarnos la patria! Y en esta noche augusta
de conmemoraciones, bendigamos la adusta
lección del Benemérito y juremos unidos
por la sangre preciosa de los héroes queridos,
defender la bandera que es de la patria emblema,
la estrofa más divina de su épico poema.
¡Que por salvarte sea mártir o victimario!
¡Vencedor, seas mi premio, o muerto mi sudario!
pues besaré al besarte, el más regio florón
de la patria, en mis brazos, sobre mi corazón...

SINFONÍA HEROICA

I

Canción de las praderas
armoniosas
en cuya urdimbre tejen las primaveras
cuentos de flores y de mariposas

Égloga de la llanura
blonda, prolífica y sonriente,
en cuya entraña oscura la vida,
como la Princesa Durmiente
que en los mundos quiméricos fulgura,
sueña que la enamora el oriente
y ungiéndola con ósculos la frente
en un amanecer la transfigura.

Poema de las cumbres sonoras,
que irradian en metáforas de auroras
y de crepúsculos (tapices de miliunanochescas flores
o abanicos de panoramas de Ormuz);
rapsodia de las cumbres vibrantes de osadía
sobre las que despiertan las músicas del día
y se levanta el himno de alondras de la luz.

Trueno del mar, sinfónico tumulto de oleajes,
ímpetus de relámpagos y cóleras de centellas,
oda del viento nómade, pirata de paisajes
que deshila fulgores y destrenza celajes
y desata los bucles de miel de las estrellas.
Voces solemnes, hondas, magníficas y grandes,
como una tiara de cóndores sobre los Andes,
coronad la broncínea testa del paladín;
sed en el faro epónimo, guirnalda de gaviotas
y pintando el silencio de acuarelas de notas,
arrojad sobre el cosmos un lírico jardín.

HORACIO ZÚÑIGA

Orador y poeta, Horacio Zúñiga fue un maestro y un ilustre periodista. Oscilando su
poesía heroica entre Chocano y don Rafael López, lírico éste a quien Zúñiga
consideraba su maestro, obtuvo numerosas flores de oro en los certámenes de la época.
Su canto a Juárez, que reproducimos, exhibe el fuego y el exhuberancia de su poesía.
Nació en la ciudad de Toluca en 1900 y murió allí mismo en 1956, después de
desenvolver un rol de inquieto intelectual ante la juventud capitalina.

II

De bronce y de oro,
fuerte a la vez que sonoro,
de metal de epinicios y de egregio metal,
en la estoica firmeza que heredó de su raza
(como la luz en la altivez de una coraza)
el día se hace añicos, el sol se despedaza
y la luna se quiebra en lyses de cristal...

Acorde increíble
del afán soberano y el latido invisible,
chispa que incuba un Aconcagua,
Amazonas que tiembla en una gota de agua.
Síntesis de aljófares y de procelas,
cada una de sus células
es, a la par, un nido de águilas y de libélulas,
por igual son celdillas,
semillas
de robles y de rosas
de gerifaltes y de mariposas.

El relámpago vive en sus nervios, dormido,
de sus labios el trueno se ha desprendido
más de una vez,
buscando azuzar la tormenta
a fin de que are ríos en la tierra sedienta;
sus pies,
firmemente asentados en la arcilla, a través
de las carnes morenas,
por los hondos caminos de las venas
logran que suban las savias ancestrales
como médulas rítmicas o jugos musicales
que ascienden peldaños de transfiguración
hasta ser, en la torre del cerebro canoro,
el repique de hexámetros de una epopeya de oro
o la flecha pindárica de una estrofa de Anfión.

Todo él es a manera
de una portentosa sementera
de abnegaciones y quijotismos,
cual un huerto de hazañas o un valle de heroísmos
o como un bosque homérico de apoteosis fragantes,
cuyas magnas trompetas de encinas y laureles
florecieran en frondas de ritmos o en tropeles
de pájaros melódicos y liras trashumantes...

Impasible y austero,
tranquilo, vigilante,
silencio y esplendor como el diamante,
lumbre y serenidad como el lucero
hasta él, hasta su andino
crestón, sube la escoria
ávida de los épicos vórtices de la historia,
sedienta del paisaje aquilino
que abre a los cuatro vientos la victoria,
con la misma realidad ilusoria
con que, en alas de un éxodo marino,
van los áureos bajeles de la gloria
con el botín de Ofires de Aladino.

En el arrojo de su altura
se prolonga la anchura
de la planicie ancestra y tutelar,
y en su capitel de celajes
cuelga el crepúsculo sus cortinajes
y domeña sus potros el auriga solar.

En la inmovilidad de su cisterna
(pupila húmeda de magníficas visiones)
se duplica la eterna
caravana de las constelaciones
que va por los caminos translúcidos y vagos
que casi se adivinan, que apenas si se ven,
cual iba la esperanza de los tres Reyes Magos
en pos del inefable portento de Belén.

Voluntad prepotente
que hasta la hondura del dolor abarca,
él que era sólo miserable charca
se diafaniza en claridad de fuente,
y en su fluida entraña transparente,
como en el seno mágico del arca
de un sultán, el azul resplandeciente,
guarda la pedrería
del irisado corazón del día
y el cromo de arreboles del Oriente.

Corona de montañas que ciñe eternidades,
que incuba lejanías y que apacienta cielos,
son alas sus impulsos, sus cóleras son vuelos,
y son sus soliloquios de abismo, inmensidades.

Cuando la fe (propíleo del afán) se derrumba
y en el piélago que se transforma en tumba
gruñe la muerte bajo la tempestad
él es indomable farallón cuyo grito
de piedra, disparado siempre hacia el infinito,
anuncia el alba rósea del barco de Simbad.

Toda la fiebre bélica palpita
en el hervor de sus pasiones
y sin embargo (trueno deshojado en canciones,
cantil donde recita
la luz sus trémulas fulguraciones)
sabe irisar de ensueños su firmeza inaudita
y en medio de su trova de ninfas y tritones,
sabe encontrar la música de versos de Afrodita.

Cuarzo inmortal que el triunfo tornasola,
en su vida está todo el heroico miraje,
como está todo el ímpetu de Jasón en la ola
y están todas las ansías de Ícaro en el plumaje.

Paladín que la victoria crisma,
en su Tabor de lumbre la claridad se abisma,
la patria se arrebola en su espíritu así
como arde en el estuche del arco iris el prisma,
el talismán cromático que es luego, con la misma
belleza, guacamayo, quetzal y colibrí.

III

Oh, el San Cristóbal indio que por un mar de asombros,
en un gesto esquliano de amor y de poder,
llevaba en la ciclópea llanura de los hombros
al infantil Mesías del patrio amanecer.

Oh, el púgil Prometeo, forjador de titanes,
que con sus fuertes manos que ensanchan horizontes,
plasmó nuevos Aquiles con músculos de montes,
almas de torbellinos y crenchas de huracanes.

Oh, el enorme vidente,
oh, la insólita cumbre soberana
y humana,
en cuya vasta frente
se arrodilla el azul resplandeciente
y se queda de hinojos la mañana.

Oh, el atlante simbólico; oh, el férreo zapoteca,
firme como un trasunto de la obsidiana azteca
cuyo silencio rompe su taumaturga voz.
Oh, el Deucalión autóctono del mítico portento,
que fue sembrando cóndores en los surcos del viento
y arando eternidades en los limbos de Dios.

TRES SONETOS A JUÁREZ

I

Toda a fuego la patria te siguió como en onda
de lava, lentamente, como quien va a triunfar.
Un nopal de paciencia por tu vida responda
y detrás de unos robles se escuche siempre el mar.

México entró en el ámbito de tu ambición redonda.
Bajo el cielo indígena tu destino fue andar.
La historia a cada sol vio cómo se desfonda
todo el pantano infame que te quiso atajar.

Unas cuantas palabras para siempre dijeron
los que, como palomas, de tu pecho salieron
a volar en un cielo de blancura viril.

Y esas pocas palabras, como enormes diamantes,
son también la desnuda verdad de los amantes
que ante un estricto cielo se miran de perfil.

II

Sobria de barro indígena la verdad de tu vida
tuvo niñez de espigas y maduró en maíz.
Ganaste tu destino por la oveja perdida
y le diste a los árboles una nueva raíz.

Yo miro frente a un lago tu pobreza zurcida
y la mano del día que te dio su barniz.
La justicia en tus labios sus torres consolida
y tu solemnidad tiene un aire feliz.

Eres el presidente vitalicio, a pesar
de tanta noche lúgubre. La república es mar
navegable y sereno si el tiempo te consulta.

CARLOS PELLICER

Armoniosa y constante y en plan, sobre todo, de superarse a diario, la obra de Carlos
Pellicer acredita a éste como uno de los dos o tres nombres excepcionales de la actual
poesía hispanoamericana. El poeta nació en Villahermosa, Tabasco, en 1897. Hombre,
pues del sur, su palabra estalla en colores y ritmos, pero sabe detenerse y admirar la
perfección arquitectónica y sabia de los ancestros mixtecas. Intercalamos también su
gran prosa lírica por el triunfo de la república.

Y si una flor silvestre puedo dejarte ahora
es porque el pueblo siente que en su esperanza adulta
tu fe le dará cantos para esperar la aurora.

III

Mirando las fachadas de Mitla —nunca nada
fue más bello en el mundo que esos muros sin fin—
pensé en la geometría de tu existencia y cada
greca me traducía tu gesto paladín.

De precisión y ajuste tu vida fue jornada,
por la montaña siempre; jamás por el jardín.
Un silencio telúrico y una mano empuñada.
La columna secreta de esbelto polvorín.

Hace apenas cien años la pólvora de un día
mortal, Guadalajara mojó. La jerarquía
del hombre sobre el tigre al trueno degolló.

Pienso otra vez en Mitla y en sus fachadas leo
lo que hay en tu mirada cuando en tus ojos veo
los caminos de México que tu mano apuntó.

GRAN PROSA POR EL TRIUNFO DE LA REPÚBLICA

Pero no es sólo con la palabra,
con la palabra a solas,
con lo que quiero recordar a los hombres y las cosas.
La voluntad no es solamente un árbol,
también es cielo,
que abre y cierra sus luces
derribando los abismos invisibles del trueno.

La voluntad está en el agua atmosférica
y en el clima tornasolado que modifica
en millones de instantes los volúmenes del suelo.
La voluntad que abre el túnel del insomnio
por donde avanza
locomotoramente una idea. Yo tengo
que declarar en imágenes
toda la jerarquía de un ejército
en que la voluntad no era solamente militar
sino también civil, es decir, el impulso de todo un pueblo.

Con litorales de poética anatomía
y enormes músculos que sostienen un clima esbelto,
el hombre cultural, desde hace muchos siglos,
atesoró la realidad envidiable que es México.
La ambición que hace de la historia
su infierno y su cielo,
desgarró el cuerpo de los mexicanos
al que, también, como hacía entonces quince años,
lo destrozó miserablemente otro extranjero.
Y éste es el mismo que desde hace más de un siglo
ha cubierto de luto casi todo lo americano que es nuestro.

Lo indígena es nuestra agua entrañable,
es lo que históricamente colinda entre nosotros con
el misterio.
Es un honor lleno de solemne alegría
que hablemos de Teotihuacán y de Mitla y de Uxmal
con los ojos luminosamente abiertos,
y también del hombre,
que unas veces se llamó Quetzalcóatl
y otras Nezahualcóyotl
y otra vez, maravillosa vez, se llamó Cuauhtémoc

Lo indígena,
en el tiempo que ahora conmemoramos
se demostró humanamente
con la voluntad y con el sentimiento.
Y Juárez y Altamirano y Ramírez y los zacapoaxtlas
que con Zaragoza estuvieron,
desangraron su mente, su corazón y su cuerpo
y empuñaron a la república
como a una espada, sola en el horizonte,
que fuera todo de luceros.

Juárez es un puñado de tierra
dentro del cual hay un diamante,
porque allí están el sol y el maíz
que contienen la misma sangre
y expresan la voluntad de ser
como alimento para todo y para todos sobre la misma base.
La vida monumental
es una forma de heroísmo que nosotros llamamos
Benito Juárez:
Nació con la pérdida de una oveja y termina
para otro con la consecuencia funeral de un
equivocado viaje.
Juárez es nuestro presidente vitalicio y en él reconocemos
la herencia fastuosa de nuestro linaje.
Vaya nuestra voluntad y nuestro corazón
a mejorar la vida de nuestra gente del campo.
El niño Benito Juárez fue campesino, niño pastor,

y esto también debe obligarnos con los que nos dan de comer
y que aún no viven según merecen y es nuestro deseo
más anhelante.
La voluntad es el motor de toda victoria.
Triunfemos sobre el egoísmo y sobre la envidia.
Mexicanos, pero como Juárez,
Mexicanos de América.

Lomas de Chapultepec, julio de 1967.

Viaje por la noche de Juárez

Juárez, si recogiéramos
la íntima estrata, la materia
de la profundidad, si cavando tocáramos
el profundo metal de las repúblicas,
esta unidad sería tu estructura,
tu impasible bondad, tu terca mano.

Quien mira tu levita,
tu parca ceremonia, tu silencio,
tu rostro hecho de tierra americana,
si no es de aquí, si no ha nacido en estas
llanuras, en la greda montañosa
de nuestras soledades, no comprende.
Te hablarán divisando una cantera.
Te pasarán como se pasa un río.
Darán la mano a un árbol, a un sarmiento,
a un sombrío camino de la tierra.

Para nosotros eres pan y piedra,
horno y producto de la estirpe oscura.
Tu rostro fue nacido en nuestro barro.
Tu majestad es mi región nevada,
tus ojos la enterrada alfarería.
Otros tendrán el átomo y la gota
de eléctrico fulgor, de brasa inquieta,
tú eres el muro hecho de nuestra sangre,
tu rectitud impenetrable
sale de nuestra dura geología.

No tienes nada que decir al aire,
al viento de oro que viene de lejos,
que lo diga la tierra ensimismada,
la cal, el mineral, la levadura.

PABLO NERUDA

Después de *Crepusculario* y *poemas de amor*, Pablo Neruda toca el umbral de su poesía definitiva con *Residencia en la tierra* y *España en el corazón* y arriba, en los días más recientes, con su *Canto general de Chile* a un pleno de teluricidad y sustancia que no tiene par la América nuestra. Quien siente lo más pétreo alcanza a cernerse en lo más aéreo y poético siempre. Premio Nobel para América y el mundo, Neruda canta así el vértigo andino del Macchu Picchu y las banderas más enhiestas del hombre, y deja su elogio mercurial y fosfórico para Juárez. Neruda nació en Chile en 1904 y falleció en 1973.

Yo visité los muros de Querétaro,
toqué cada peñasco en la colina,
la lejanía, cicatriz y cráter,
los cactus de ramales espinosos:
nadie persiste allí, se fue el fantasma,
nadie quedó dormido en la dureza:
sólo existen la luz, los aguijones
del matorral, y una presencia pura:
Juárez, tu paz de noche justiciera,
definitiva, férrea y estrellada.

UN CORRIDO EN SU HONOR

2ª Letra

Y queriendo ser muy leido
Y valer en donde quera,
Dejó chivos y borregos
Y a la escuela fue a estudiar.
Y aprendía sus lecciones
Rete bien y a la carrera;
Siempre fue de los mejores
Por su gran capacidad.

Fray Antonio Salanueva
Lo ayudó de buen agrado,
Y llegó a ser licenciado
Sin tropiezo y de un jalón
Fue subiendo en escalones,
Pues lo hicieron diputado,
Y también fue magistrado
Y después gobernador.

3ª Letra

Su honradez le abrió camino
Y su condición sencilla
Lo llevó hasta la silla
Del Palacio Nacional.
Presidente legalito
De la patria entera fue;
Desde entonces don Benito
Es un símbolo de ley.

ALFONSO DEL RÍO

El corrido era, hasta hace poco, el canto por excelencia del pueblo mexicano. Proviene del antiguo romance español, pero quiebra su voz y estalla en música en todas las luchas nacionales. Monótono como las llanuras de nuestras mesetas, expresa los momentos más dramáticos o reaparece como remembranza de los mismos. También se complica con temas de amor o sucesos civiles, pero no olvida jamás el aire de su origen. Alfonso del Río produjo contemporáneamente un hermoso "Corrido a Juárez", verdadero modelo de este canto popular.

Con fortuna o con reveses
Pero siempre muy ufano,
Les dijo a muchos franceses
Lo que vale un mexicano.
Sin quererlo me despido
Entre tunas y nopales
Y de don Benito Juárez
El corrido se acabó.

CORRIDO A JUAREZ

Letra:
A. del Río.

Música:
José Ríos.

SUEÑO ATLANTE

A Héctor Bonilla

Soñé —camino de Oaxaca— un sueño...
Miro el horror del cataclismo atlante
y cómo, sobre el lomo de elefante
de indianas cumbres, con ritual empeño,
mil pueblos se salvan...

Sueña mi ensueño
que aparece después, bajo el diamante
del sol —¡de tal pasado, ay, ignorante!—
un giboso titán, hendido el ceño.

Su estrepitosa voz —odio mugriento—
arroja a los basaltos de la cumbre
su anhelo constrictor, su anhelo cruento...

Un gran picacho entonces —flor y lumbre—
detiene aquella furia y elemento
en tanto "¡Juárez, Juárez!" ruge el viento.

VICENTE MAGDALENO

Nació casi con la revolución mexicana. Exactamente en una de las cunas del movimiento: en Juchipila, distrito de Zacatecas, donde se libraron las acciones deshilachadas que describe la novela *Los de abajo,* más concretamente, en Villa del Refugio, en los límites con Aguascalientes. Ha viajado por toda la república, también por Centroamérica y la Unión Norteamericana. Conoce algunos lugares de Europa y ha escrito algunos libros de poesía y otros de ensayos. Ha sido maestro universitario.

Amanecido de Álamos y brisas

Busco la palabra
el sonido de barro
con raíces de sangre azteca
Busco el horizonte
en que la tarde   fiera que sangra
por su piel de seda anaranjada—
al pie de los volcanes
y tras de los balcones
en luto de luces
se consume

Busco los vasos capilares
del aire
los nervios sonoros del relámpago
en el viento
para colgar una letra
una sílaba
el pensamiento
con la voz que te recuerda

Todo está dicho
Tu cuerpo en silencio colmado está de voces
saturado con los himnos íntimos de México
los versos del poeta
la canción del campesino
los ecos del acero en martillos y teclados
—lenguaje del trabajo—
en la fábrica en la oficina y en el campo
en la actividad pública y en los hogares
en los libros de la historia y en la escuela
en las primeras sílabas
del niño
cuyos párvulos sonidos
hilvanan a su infancia las letras de tu nombre

RAFAEL CORDERO

De Rafael Cordero, poeta de la ciudad y el ulular de las sirenas, publicamos su hermosa
oda sincerista al patricio, cuya estatua, envuelta en todos los himnos y todos los home-
najes, es fuente invisible, sin embargo, de la paz que hoy goza la república. Autor de
varios libros de poesía y ensayo, Rafael Cordero nació en 1912.

Todo está dicho
Tú existes en todo lugar y tiempo
te levantas en estatuas
y en ciudades
en los códigos del derecho y del respeto
en la vida pacífica del pueblo
en sus horas de angustia y de alegría
en la aurora sonora de los cohetes
y en el incendio verde
amaranto y rojo de audaces pirotecnias
en la feria
tatuando de colores nacionales
la anochecida piel de los celajes

Todo está dicho
las piedras que ilumina el alba
la luz benemérita de América
y la galaxia
donde reposa
tu forma
Todo está dicho
en fuerza de escultura solemne
figura que agiganta tu estatua
tu infancia de bucólicos preludios
en los rústicos sonidos
de una flauta de carrizo
los nervios de tu niñez templados
en la orfandad de una isla
lejos de la orilla
en la nocturna oscuridad del lago
Tu adolescencia
en la iglesia
de estructura ajena a tus sentimientos
y la sotana que no creció en tu cuerpo
tu voluntad de roca zempoaltépetl
tu rostro zapoteca
y la impasible pupila de obsidiana
en la noche de piel mixteca
Todo está dicho
en frases elegantes de oratoria

figuras felices de tribuna
discursos victoriosos del talento
y también
en forma de metal heroico
de espada enrojecida
de levita trashumante
de zapatos y ruedas sobre el polvo
en las veredas nacionales
el meridiano
sin agua
el atardecer y la noche sin tregua
de república errante
de patria en agonía
sobre el destino rodante de un carruaje
tirado por crepúsculos y madrugadas
a través de largas y penosas leguas
Todo está dicho
Sierra de Ixtlán Guelatao
1806 Veintiuno de Marzo
El son de una flauta
bajo la sombra tibia de las frondas
voces rústicas del campo
OAXACA
Por ella tenemos patria
lo dijo un estruendo
de fusiles
y el eco de un Cerro de Campanas
"Ahora o nunca"
La república
Todo está dicho
no hay voz ni frase ni palabra
que por ti y hacia ti se eleve
en un himno liberal de México
alentado por tu genio
de estatura solemne
No has muerto
estás presente

en el signo patriarcal del árbol
entre la luz plateada de los álamos
raíz tronco y follaje
en este espacio de aire mexicano
cuerpo modelado
por atlánticos relámpagos
de endurecida espuma
conjugado todo en tus brazos
de claridad y mármol.

Estoy en la avenida de tu nombre
cerca de ti
al pie de la estatua en que México te guarda
miro tu rostro color de tiempo
el inmutable gesto de tu genio
las manos que alzaron la república
y tu cuerpo en reposo
sobre la cátedra del aire
frente a edificios colosales
(ya no hay caballos
enjaezados de gala
ni lacayos
en las carrozas
de imperial aristocracia
ni tropas
ni banderas de Francia)
si acaso a pie grupos de turistas
con largas cabelleras y pupilas frías
que pasan
como errantes nazarenos de este siglo
entre nieblas de tabaco y gasolina
al margen de motociclistas
y automóviles
entre escaparates de modas
y pálidas señoras
entre mercaderes ambulantes
y exóticos ropajes
atónitos de vitaminas
y estridencias de tranvías

Tu cuerpo
es de silencio y de reposo
tu estatua es el recuerdo
y desde tu rostro
amanecido de álamos y brisas
pareces mirar el cotidiano desfile
de tu pueblo
al aclarar la luz de cada día
cuando el eco nacional de las Campanas
anuncia en la claridad del aire
histórica frase
con los signos de paz que tú dijiste

EMOCIÓN DE OAXACA

Aceptaré el instante de la luz
y su convocatoria de laúdes,
su certamen de lirios;
amoldaré el oído, lo más cerca posible
a las palpitaciones secretas del camino,
depositario de acariciantes lejanías;
y el tacto será fruto,
jugoso paraíso, su sabor.

Anhelaré decir en Antequera
el proyecto de un canto,
la arquitectura de una nube,
la epopeya de un cuadro
y declarar la estirpe de un valle de luceros
en cielo de esmeralda, jícara de obsidiana.

Subiré la montaña de las tumbas sagradas
y en el centro ritual de los abismos,
palpitará en alturas aborígenes,
un corazón de adoratorio inmenso.

Si Monte Albán oyera sus fantasmas,
recordara mi paso vespertino;
en plenitud de mis antiguos viajes
me envolviera en profundos horizontes
y me dejara el cielo entre las manos.

Si Mitla recordara,
sería el sacerdote de sus ruinas,
el fiel adorador de su llanura,
evocadora de los pies danzantes.
Yo sería el principal cantante de sus fiestas,
responsable de aromas y silencios.

RAMÓN GÁLVEZ

Con cabal emoción poética celebra Ramón Gálvez (nacido en Córdoba, Ver., en 1917) su inmersión en el aéreo paisaje de Oaxaca. El jalón de sus raíces le lleva a experimentar, como un sacerdote antiguo, el gozo de oficiar en los altares indios más nobles, ahí donde también nos grita el viento la epopeya moderna de Juárez. Ramón Gálvez es abogado y maestro. Ha sido periodista y fundador de varias revistas literarias. Trabajó en la Dirección Jurídica de la Secretaría de Comunicaciones y fue presidente del Instituto de Intercambio Cultural Mexicano-Checoslovaco.

La piel morena de mi ser,
el barro fuera, plata de montañas,
el cántaro más fresco de la tarde.

Mis brazos y mi cuerpo, mi cabeza,
ardieran por la noche, infatigables,
construyendo ciudades,
labrando sembradíos
y durmiera en el alba
igual que los ancestros;
enraizado en el polvo,
transfigurado en idolillo ardiente.

Otra vez yo pidiera, mi conjunto de voces:
de treinta, de trescientas, de mil voces,
para llegar a tierras oaxaqueñas,
cantando entre montañas;
concurrir a la fiesta floral de su heroísmo
y a su follaje de laurel juarista.

Disfrutar coloniales barroquismos,
de rica, recia, mineral leyenda,
y en el azul jocundo del cielo de Antequera
celebrar en concierto, rosas y juventudes,
la franca aurora de la primavera.

JUÁREZ ERA LA LUZ

I

Juárez era un abismo
porque sentía hondo,
pensaba para adentro:
todo un pueblo en sí mismo
gritaba desde el fondo
de su primer encuentro.

Un abismo de musgo, su palabra,
tan clara como el barro de la estrella.
no dijo más que el agua, pero en ella
ardientemente labra
la inmensidad del hombre.

¿Cuándo alzó, con su nombre,
la vanidad oscura de la gloria?
Tuvo en su mano el ojo de la historia
sin besarlo siquiera con malicia:
su mano era de siembra, de caricia,
no de sangre goteando los agravios.
Tuvo también la patria entre sus labios
y nunca la mordió con avaricia.

Juárez era la luz
quemada en las espigas:
su voz era el incendio de la cruz
en un campo de ortigas,
o la llovizna lenta en el desierto.
Era tan hondo el fruto de su huerto
que vive como el pan, todos los días,
haciendo nuestras tristes alegrías,
lavando nuestras manchas, con lejías

MIGUEL BUSTOS CERECEDO

Entre los poetas que más allá de sus personales sentimientos expresan, en forma noble
y contemporánea, al hombre en las movilizaciones de su superación social, se encuentra Miguel Bustos Cerecedo. Maestro, bibliotecario y dirigente sindical, Bustos Cerecedo es secretario de la Comisión Permanente de Pensiones en el Seguro Social Mexicano. Nació en Veracruz en 1912. Su bibliografía incluye, junto a su poesía, ensayos,
cuentos y crítica literaria.

que usara ante el imperio,
relampagueando sal en el cauterio
de su impávida y terca valentía.

Hecho de flor y llanto, florecía
en cactus de silencio, tierra sea:
orfandad es el viento del naufragio
y erupciona su estirpe en el presagio
de una colina heroica que se vuelca.
Más allá de sí mismo, la leyenda
se hace surco en los ojos:
se encrespa la borrasca y sus despojos
son la oveja y el niño que no arrienda
su mundo a la deriva;
sumergido en las ondas del hechizo
sonámbulo y feliz, con su carrizo
la soledad es música que aviva.

II

A cien años redondos
de su muerte sembrada
en los surcos más hondos
de la patria asombrada:
su apotegma es el grito
de los pueblos pequeños,
la teoría y el mito
de los mejores sueños.

A cien años de muerto
su nombre tiene abierto
un mundo sin fronteras:

III

Era un árbol tan ancho, que su fronda
nos cubre en la intemperie de la suerte:
su fruto era tan hondo, que se ahonda
más allá de su muerte.

Juárez era la tierra
desolada del indio:
quizá por ello encierra
—en su barro cocido—
la piedra de un sonido
lejano que se aferra:
¡oh, silencioso olvido
de su raíz de tierra!
enigma de infinito lo dibuja
con su rostro de amargas primaveras;
pero sueña en su luz una burbuja:
su corazón de río,
su voz que es un cogollo del erío,
su mirada de sombra,
su estatura de yerba,
el canto que no nace, pero nombra;
la ternura enterrada, tan acerba
por la hiel de su pueblo enajenado;
su sentido del hombre, concentrado
que lo amasó en su barro primigenio;
era tal vez el tiempo, que con seco
latir de sangre ajena, sólo abría
torbellinos de lumbre en la batalla;
era tal vez el tiempo, donde ardía
la muerte desatada;
era tal vez el tiempo que se engalla
con la carne del hombre, cercenada.

Era tal vez el tiempo, que con Juárez
anduvo a la deriva de su pulso:
era tal vez el tiempo y sus azares
los que ataron su impulso
para que el indio fuera su consigna.
Era tal vez el tiempo, pero Juárez
era también el tiempo que lo signa
la flor del indio heroico,
el corazón estoico
de un pueblo desgarrado en la tormenta
de su creación violenta.

Era Juárez el tiempo: su figura
es todo su fulgor y su aventura,
en la raíz estéril de su raza;
su recóndita esfinge, donde traza
el mapa de una historia ensimismada;
una nación que quiere ser amada
y tiembla entre sus brazos azorada.

A cien años de ausencia
su estatua está erigida en cada pecho
que se yergue impoluto en la conciencia
del dolor al derecho.
A cien años de ausencia
vive nuestras tormentas
con su misma paciencia,
con las aguas violentas
de la diaria existencia.

El indio anduvo solo en la maraña
de sus propias angustias primitivas,
ajeno al esplendor de cruel hazaña,
oculto en las penumbras olfativas
de su rastro apagado, con el genio
erizándose en cumbres de montaña:
el indio anduvo solo, con el indio
que lo llevaba dentro como un eco:
era Juárez el indio, sin el indio.

SEÑOR, BARRO DEL PUEBLO

Al Lic. Genaro V. Vásquez

Voz que surge de lo arcano
construye en mi voz
el eco de tu gloria
Sube,
incrusta,
ramifica
en la cúpula del tiempo
escamas pétreas
de renovado Quetzalcóatl.

Así edifico.
Señor,
con sueños de tu pueblo
nuevo adoratorio
a tu memoria.

Reconóceme arquitectura mano
de la patria india
¡Tú y yo
venimos de la onda
silenciosa del origen!
Te engendró la primavera
entre vellones,
cobrizo capullo de la tierra
y jugó con tu infancia Guelatao
sobre el turbio tapete de su lago.

Los altos picos de la sierra
amasaron la primera lección
de tu carácter:
abrazado a la infancia de tu choza
te reveló la noche
la estatua del lucero.

GABRIEL LÓPEZ CHIÑAS

López Chiñas (nacido en 1911) rinde homenaje a su gran paisano Juárez en este poema
que Erasto Cortés califica de viril, emotivo y veraz. Silencioso y apenas advertible física-
mente, López Chiñas es dueño de una voz que se externa en la más limpia prosa de sus
leyendas juchitecas (*Vinnigulasa*) o en sus poemas, algunos de los cuales han sido
traducidos más de una vez. Abogado y maestro universitario, el poeta se produce en
pequeñas tiradas líricas, pero alcanza a lanzar su palabra, en las más amplias formas
"plenas de espasmos telúricos".

¡Qué rumor de mundos circundó tu mente!

Te adueñaste del cielo de la patria
un sol inmenso girando entre tus manos.
Sus rayos trazaron las leyes de Reforma
y en humo convirtieron la corona
que la fe republicana mancillaba.

¡Juárez, eco de Cuauhtémoc
entre canteras de los siglos!
Ante el naufragio
de la patria repetiste
la serena lección de Guelatao.
Y hubo fiesta
en el parlamento inmortal
de los patricios.
¡Washington, Morelos y Bolívar
izaron banderas
en las esquinas del Nuevo Mundo!

Imagen de leyenda y realidad
te forjó América:
roca de su roca, cielo de su cielo.
El golpe final de la guadaña
multiplicó la chispa de tu nombre.

Tu gigantesca lumbre
iluminó el borde sin fin
de nuestra aurora.
El caudal de tu figura
riega y fecunda
a flor y cuarzo
la imagen de la raza.
Te dibujas maíz
en el mito de la sangre
y en la choza del humilde
tu nombre suena a profecía.

Firme, sereno ciudadano,
te veo pasar
——roca en alba el corazón——
llevando a la patria en andas.
Juárez, en los aleros
de tu sombra augusta
la agorera ave canta: "Tihuí", "Tihuí".

Y calzamos pies de antiguos peregrinos
la mirada equilibrista
en la flecha del progreso.

Señor, desde tu cenit de gloria
asciende la marea de nuestra marcha.
La humildad del pan
humille la soberbia fuerza
y bajo el cielo de su techo
el hombre cante
un hijo contestando por lucero.

¡Ama a tu prójimo más que a ti mismo!,
ha de ser la fórmula futura.

Juárez, amigo de los hombres nuevos,
en el ambarino cáliz de tu auspicio
vierto el licor de la esperanza
para brindis del futuro.

Ofrécelo desde el balcón de tu carácter
la resplandeciente mano de paz y de justicia
ascendiendo a nivel del universo.

ESTIRPE

Los manes de la patria se juntaron
plasmando con arcilla zapoteca
este titán que la nación azteca
y su hambre de derecho abanderaron.

Tu gallarda actitud no perdonaron
locos bauzanes de visión enteca:
pues los genios no han sitio en la "caneca"
de aquellos viles que jamás pelearon.

Y hete aquí ya en los fastos de la gloria,
impasible la faz, digno el talante;
representas la lucha más tenaz,

y también la victoria del pensante
¡Has dejado en las hojas de la historia
la clave insigne del vivir en paz!

ALEJANDRO SÁNCHEZLLANES

Podemos considerar el anterior de Alejandro Sánchezllanes (nacido en 1915) como uno
de los tributos más auténticos de los conterráneos del Benemérito, quienes en diferentes formas se sienten solidarios del gran ejemplo histórico y personal. La alusión a la
generación brillantísima de la Reforma parece ser otro de los méritos de este escritor.

PRINCIPIO PARA UN CANTO A JUÁREZ

I

Si una mirada hubiera recorrido
parte por parte, lentamente
por años y años y por años
nuestro lugar del mundo.

esa mirada hubiera visto la rotura,
la raíz carcomida, el pueblo cojo:
santos en guerra, al frente
de furiosos ejércitos de harapos.

Después, las libertades traicionadas;
el hambre eterna de los hombres:
las sanguijuelas
medrando, enriqueciéndose
en los sepulcros de los grandes señores:
Miguel Hidalgo, fusilado;
Guerrero, Allende, Mina, fusilados;
la libertad, los ríos, la tierra, fusilados.

Después, las fiestas de las ratas;
santanas, iturbides, calabozos;
las carrozas, el oro de los trajes robados;
y la tierra vendida,
la república inválida, sin brazos,
bajo un lívido cielo mutilada.
Y procesiones resignadas de mendigos,
y palos, sombras, látigos.

Pero también hubiera visto entonces
que en Jalisco, en Oaxaca,
en Veracruz, en Guanajuato, a medianoche
vigilaban los hombres.

RUBÉN BONIFAZ NUÑO

Rubén Bonifaz Nuño (nacido en Córdoba, Ver., en 1923) es uno de los más significativos poetas del México actual. Desempeñó el cargo de director del Departamento Editorial de la Universidad Nacional, fungió como coordinador de Humanidades en el mismo instituto cultural. La poesía de Bonifaz Nuño, dueña de las mejores esencias clásicas, ensaya una aproximación a las fuentes indígenas mexicanas. El noble poema a Juárez que ofrecemos, representa una excursión venturosa del poeta por los terrenos civiles.

En los montes, guardianes de rebaños;
en pobres casas, constructores
de palabras y leyes; fundadores de espadas.

Y que dentro de ellos
grandes madres atónitas parían
otros hombres,
y en ellos otros hombres, y relámpagos,
interminables lluvias,
y surcos, fábricas, justicia.

Y eran todos un pueblo despertando,
y eran los héroes todos, en la hora
del nacimiento verdadero:
la hora en que los hombres
abren los ojos asombrados, miran
y saben que son hombres:
que algo, a lo que ellos sirven, los construye.
Algo que ellos construyen
como la piedra al templo,
como los hilos a las velas del navío.

Y eran también las madres de los héroes,
los nietos de los héroes,
la tierra de los héroes
levantada y futura en cada uno.
Era la patria encaminada
debajo de la ropa de los héroes.

II

Nació en San Pablo Guelatao
el 21 de marzo de 1806.
Sus padres fueron Marcelino Juárez
y Brígida García.
Muy temprano quedó huérfano y solo.

Fue la necesidad entonces
quien le hizo la razón. Fue la pobreza

quien le mostró su parentesco
con la tierra triste que pisaba.
La soledad en que vivía
le enseñó la costumbre del silencio.

Pero el zumbido de su sangre
le hablaba de los hombres
como si todos fueran cosa suya.

Y quiso voz su sangre,
quiso decir, comunicar sus pasos,
y halló palabras sólidas y claras.
En bestias dulces, débiles, su instinto
de pastor ejerció; tendió sus manos
sobre rebaños pobres.
En ese manso amor se preparaba
para el oficio de salvar.

Fue a la ciudad más tarde.
Comió el pan trabajando humildemente.

Así adquirió las herramientas
que son capaces de fundar al hombre...

Se volvió grande poco a poco.

Muy dentro, lo agitaban
una antorcha en embrión, el filo
de una espada desnuda,
el ansía extensa de una paz extensa,
y una fuerza pura incontenible,
y una pasión frenada,
y una esperanza justa, y la conciencia
de un pueblo desencadenado.

Se volvió grande y fuerte y doloroso.

Tomó sobre su espalda quieta
el oscuro pasado y la esperanza,
los convirtió en deber, y de tal modo armado

resistió la traición, salvó el orgullo,
combatió al extranjero,
y fue ley y bandera,
y cauce de la patria que nacía.

III

Para hablar a tu altura
debo saber quién soy; para saberlo
debo saber quién eres.
Para saber quién eres, en mi boca
he de tomar la boca de los pobres;
he de sentir mi corazón cercado
por las costillas de los pobres;
poblado el corazón con la amargura,
con las humillaciones de los pobres;
claro por el orgullo en compañía,
tierno
por el pan compartido de los pobres;
recorrido y suspenso
por la corriente desatada
que, en su tiempo y lugar, la sangre libre
de los pobres engendrara.

Y sabré que el orgullo
y el pan, la libertad en llamas,
nos vienen de tu nombre,
desde los cuatro rumbo cardinales.

Que aquí estás, donde somos,
y estás en el lugar adónde vamos;
que eres lo que tenemos,
que somos ricos al tenerte.

El pan, la sangre y el orgullo
vienen de entre nosotros, de tu nombre, a cantarnos
que estás aquí, salvándonos, viviendo.
Que por ti somos, que vivimos
de ti, que recibimos de ti, justificados,
héroes y santos puros,

y solemnes abuelos.
Eres lo de nosotros para siempre.
Juárez, pastor, hermano grande;
pariente generoso, alas abiertas, protectoras.

IV

Así como nombrando la semilla
hablamos ya del árbol, y decimos
retorcidos arroyos de raíces,
torre del tronco, inatacable, júbilo
del follaje con frutos,

así como al nombrar a Juárez con su nombre
decimos territorios, mares,
aire, torrentes, montañas con nubes;
nombramos hombres y mujeres;
en su nombre agrupamos nuestras casas,
nuestros talleres, nuestros campos;
nombramos, al nombrarlo, las mañanas,
y los fértiles días y las noches;
y decimos pasado justo,
y futuro, y presente.

Así nombramos, al nombrarlo, el nudo
que hace unidad de todo lo nombrado, y lo afirma.
Amigos, gentes de mi tierra:
decimos Juárez y nombramos la patria.
Al través de su nombre nos sentimos
responsables, reunidos, sustentados por dentro:
en medio de su nombre que nos llena
como un a luz de piedra respirable.

V

La boca de los pobres he tomado
para decir quién eres tú. La boca
de los oficinistas, los poetas,
los sembradores, los obreros, los astrónomos.

Por tu memoria, hallan las manos
de los hombres razón, lugar y tiempo;

son nuestros el fulgor de esta simiente,
de este trabajo comenzado,
de esta tierra sembrada.

Tu herencia no es reposo en la riqueza,
ni soledad, ni sólo sueño;
tu herencia son los solidarios brazos
en libertad, las cosas que fundamos,
el camino que hacemos.
Tu herencia es el sentido y el orden de las cosas,
la libertad de proseguir, el peso
de vivir como hombres.

Todo está bien, lo tuyo.
En su lugar el aire,
en su cauce la fuerza de las aguas
en su lugar el fuego, la tierra, las raíces.
Como encima de piedra,
bien cimentado el mundo que dejaste.

LLAMADO AL BRONCE

Mi voz es india, mi palabra seca
y no encierra ni pasión ni fanatismo,
sólo canta verdad y allí se obceca,
no pronuncia el absurdo ni el abismo
y se sabe guijarro y se hace greca...

I

¡Oh, Juárez! que los ámbitos escombre
la arcilla de mi lengua mexicana,
que el silábico canto se haga nombre
cuando encienda en la angustia americana
el llamado imperioso de tu esencia
con mi grito de sangre y obsidiana...

Fue un ejemplo de cumbre tu existencia.
Desde la choza humilde, del arado,
del carrizo en monóloga estridencia
al disfónico giro del Estado;
del abrazo de milpas en la sierra,
del balar impaciente del ganado
a los ámbitos truncos de la tierra
donde el hombre es germen de ambiciones
que dialoga la paz con voz de guerra.

En ti hablaron indemnes tradiciones
de la raza de bronce no vencida
bajo el yugo de antiguas vejaciones.

Tu sed de libertad enardecida
de un soplo te libró de la montaña,
y supiste del pueblo, de su herida,

de su triste verdad, de su alimaña,
de la fuerza que sangra y que lo humilla,
que es más secreta cuanto más lo daña.

FRANCISCO HERNÁNDEZ DOMÍNGUEZ

En la conmemoración del natalicio juarista, celebrada el 21 de marzo en el propio pueblo de Guelatao y en presencia del presidente Echeverría, fue interpretado el fuerte poema "Llamado al bronce", que transcribimos. Nacido en 1930, su autor es Francisco Hernández Domínguez, ilustre médico y maestro oaxaqueño ventajosamente consagrado a las letras y desaparecido, para luto de éstas, en 1971.

La constancia, enraizada manecilla
a través del insulto fue el camino,
fue la espiga horadando la semilla.

Y llegaste indomable a tu destino
a la sombra de un lar que no era el tuyo,
pues tu aliento viril de peregrino
no anhelaba la paz, el manso arrullo
de enclaustrada oración, porque eras fuerte,
porque hablaba en tu ser doliente orgullo
de una raza que vio llegar la muerte,
que sintiéndose esclava, escarnecida,
en el tiempo venció su propia suerte.

Y ensanchaste la savia de tu vida
en el aula cordial de tu "instituto",
en su augusta cantera amanecida
que a la historia se brinda en nuevo fruto
madurando el presente su esperanza
sin contar con la angustia del minuto
en las manos llevaste la confianza
al dolor de la patria, de los mundos,
eras ley y justicia, no venganza.

Animaste tus gérmenes profundos
cuando el extraño ambicionó tu suelo
devolviendo sus pasos vagabundos.

Era entonces la patria: amargo duelo
la ambición mutiló su faz de piedra,
águila herida en la mitad del vuelo
tu estructura de bronce no se arredra
y el derecho en tu voz fue abrazo enorme
ahogando la traición —potente yedra.

Y arribaste a la cúspide inconforme,
la reforma del pueblo fue tu grito,
pues deseabas un México uniforme
el México anhelado, el infinito,

el que canta su paz en las verbenas,
en la espuma del mar, en el granito,
sin mordaza en la voz y sin cadenas;
esa fue tu visión, ese tu llanto
y creciste en tu muerte de alas plenas...

II
Voy a encender la noche con mi canto
porque vives la sombra de lo incierto,
la vida del enigma y el espanto
Si preguntan por ti, diré: ¡No ha muerto!

Porque vives en todo mexicano
en su hora de verdad y desconcierto,
porque en el indio, tu paciente hermano,
eres lluvia de fe en la cosecha,
eres impulso que germina el grano
de esa patria que vive insatisfecha,
que sangra por la herida del costado
en el tiempo monótono y sin fecha...

Nos dejaste un ideal, lo han profanado
los que nunca supieron de trincheras,
del sudor en la fiebre del sembrado,
del cansancio en las horas jornaleras,
los que elevan incienso a los extraños
y son eco de voces extranjeras
que predican la "paz" y los engaños,
con la ignominia en la conciencia humana
y convierten los pueblos en rebaños...

Hoy mi grito con el dolor se hermana
y débil llega a tu órbita atmosférica
llamando al bronce de tu estirpe indiana.

Los cinco paralelos de tu América
se mecen en la angustia de las horas
marcando el ritmo de una paz quimérica.
Hoy mi voz al silencio donde moras,
se abre tu oído: México espera

con su llanto vertido en las auroras,
en la edad del acero, de la hoguera,
del átomo asesino que aniquila
y anuncia al mundo la verdad postrera.
Que se alumbre en la noche tu pupila
y el bronce de tu estirpe se haga grito,
convocación frenética de esquila
que taladre en su vuelo de infinito
la dormida conciencia ciudadana
y la inconstancia del valor marchito...

Y no soy yo, en la angustia mexicana,
el que turba los rumbos de tu gloria,
es la voz de la tierra americana
conmovida al minuto de la historia,
la que urge tus caminos de constancia,
la que invoca sedienta tu memoria,
Benemérito: ¡Vence tu distancia!...

ROSAS DE LUTO DE JUÁREZ

Rosas luto de ángeles, oscuras,
belleza del silencio, encristalada
en el abril de una mañana helada
entre formas espléndidas y puras.

Estética de luz: rosas maduras
y morenas y místicas. Alada
es la espiral de perfección, y alada
la ascensión vertical, sin ligaduras.

Mármol morado en rosas de homenaje,
aérea patria primordial del vuelo
que se desase y se deshace en penas,

y parte con su aroma, de equipaje,
rumbo al cielo civil, en otro cielo
de rosas impasibles y serenas.

RAYMUNDO RAMOS

Raymundo Ramos es un joven maestro que aduna a su talento poético las disciplinas del escritor y la erudición más seria. En el libro, en la cátedra o bien desde el sillón del funcionario público, Ramos es exponente de la joven voz del norte, que, a partir de Urueta y Alfonso Reyes, refuta la tesis de que tal porción del país representa sólo el aspecto pragmático de nuestras realidades. Publicamos su hermoso y marmóreo soneto al presidente Juárez.

FLOR Y CANTO 1972

Es el tiempo en que el hombre deja atrás la estratósfera
por regresar, diuturno, con nuevas geologías.
Es la hora en que un hongo descimbra geometrías
y tal nace y crece la última noósfera.

Es el momento astilla que en el cristal atmósfera
hay niebla y humo y odio y arteras alegrías.
Y es el instante hipócrita en que con manos frías
se incendian corazones en nombre de la biósfera.

Babel no es del pasado, ni el caballo de Troya
ha dejado de arder. Y los jóvenes sueños
—los más jóvenes sueños— son negra luz de Goya.

¡Surja un punto Bolívar para los veinte empeños
de esta América en pie, pues México y sus mares
son canto y flor telúricos en el año de Juárez!

SALVADOR CRUZ

Maestro, ensayista y poeta, Salvador Cruz (nacido en Tehuacán, Pue., en 1932) glosa
en el anterior soneto la celebración juarista de 1972, que se realiza, exactamente, en
medio de algunos sobresaltos bélicos mundiales y las demandas de una nueva organi-
zación social. Salvador Cruz es autor de *Francisco I. Madero: Un hombre, un libro, un
destino* y *Del mexicano gusto por el vino*, amén de otras publicaciones donde valora,
juntamente con otros autores, a diferentes personalidades universales.

DISCURSO POR BENITO JUÁREZ

Excelentísimo señor presidente
del carácter insobornable, de la fuerza en el día,
perfecto del rigor, edecán de los limpios,
gran caballero de la orden de los humildes;
condecorado por el sol, que dio a tus facciones
una adusta grandeza de piedra resurgida.
Excelentísimo señor embajador
del espíritu de las leyes,
que entregaste tus credenciales en las manos del pueblo
y vigilaste el cumplimiento de lo que parecía intocable
por los decretos que firmó la conciencia,
por los mandatos que inspiró la mañana.
Señor ministro de la restitución pública,
que pusiste en tu pecho la lágrima del pobre
y no medallas fundidas en latín y amuletos marchitos.
Rector de la universidad de los dignos,
que desconoces los nombramientos honoríficos
cuando éstos se fabrican de espaldas al decoro.
Honorable cuerpo democrático,
señoras y señores en la fe de la historia:

Henos aquí celebrando el nacimiento
de quien no tiene muerte,
a los ciento cincuenta años exactos
de su producción en la primavera,
porque, señor presidente, según lo han confirmado
horóscopos maduros y pájaros triunfales,
naciste con la maduración de los frutos, y es simbólico
tal advenimiento en la estación de las flores,
cuando la tierra demanda su corazón a los humanos.

ALFREDO CARDONA PEÑA

Nacido en Costa Rica en 1917, Alfredo Cardona Peña realiza el total de su obra en México, porción de su América que desde joven lo envuelve y sitúa. Elegante y categórica, su palabra está contenida en quince libros de poesía y ocho de ensayo y cuentos e infinidad de artículos periodísticos. Cardona Peña fue un poeta cabal y un escritor de hondura.

Haz que cierta poesía solitaria,
maestra en oscuridad,
experta en el sutil enredo de la frase,
abandone sus trajes de sombra,
sus voces como gotas fríamente perfectas,
y poniéndose el casco reservado a los himnos,
cante llena de sol en el estadio
donde la juventud eleva a tu memoria
su competencia musical.

Naciste, como he dicho, en el día de primavera,
mas fue tu infancia un triste invierno sin vestido
en donde muchas veces, para subsistir en el cuerpo
tuviste que llamar a las puertas más altas
como los siervos hacen con las últimas ramas.
De niño recibiste el beso de los crepúsculos,
el otro fue tu ayo, tu madrina la tarde,
pues como algunos reyes
que aparecen en el amarillo testamento
iniciados en las fuerzas purísimas de la soledad,
fuiste pastor en los días risueños de la infancia,
y es la primera imagen de tu historia égloga
que guarda entre la brisa su armonía inicial.
Como una comida que han enfriado las penas
fue tu primera juventud, a la sombra
de la perseverancia.

Repetiste el drama del estudiante misérrimo
santificaste la voluntad cuando en la noche
leías quemándote los ojos,
leías buscando una luz que la vela te hurtaba,
leías mientras otros compraban o reían.
Ah, señor presidente, nosotros no podemos olvidar
aquellas horas de estudio sin fiesta,
en las que poco a poco fuiste viendo a tu patria
como un dolor tendido extensamente,
o acaso como una doncella amenazada
o un lindo cuento sólo para algunos.
Te preocupaban los libros caros y la mesa,
la novia te dolía

porque eras una raíz envuelta en polvo
y por muchos años de desprecio subían como yedras
por los duros reinados de tu sangre.
Eras el último de la calle,
un indio, un gran silencio hecho de llama.
Pero
fuiste preparando con lentitud de alfarero una idea,
fuiste profundizando en hombres y en palabras,
y te casaste venciendo murallas,
dejaste la provincia, madre caudal y sola,
y un día ciudadano, un día altivo,
un día en un gran árbol transformado
se abrió tu obra, al fin, como una puerta
de justicia labrada. Por ella entró la luz
y la tiniebla huyó con el murciélago.
¿Cuál fue tu arma, padre desarmado?
Una más grande que la luz del día,
más poderosa que las asechanzas,
a cuyo nombre tiemblan los culpables,
enmudecen puñales, torna el fiel a su punto:
la ley. Y en ella el pueblo.
El pueblo que fue escudo de tu brazo,
rosa en tu fe sembrada.

Apretada en el puño, como un látigo de fulgores
la ley viajó contigo,
ardió, fue construyendo su reforma,
y a tal punto se hizo sustancial a tu alma
que era tu ser, ¡oh, Juárez!, la ley misma,
vestida, severísima y actuante.

En esa ley —o roca— en que vivías
fue a estrellarse el imperio: sus espumas
salpicaron las páginas de Europa.
Pero había pequeñas miserias,
conspiraban hisopos y sortijas
y se lanzaron, Juárez incorrupto,
sobre tu ideal innovador. No pudo
aquella tempestad herir tu frente
porque eras un producto de muchos siglos,

un fuego que apagado quemaba tu silencio.
El suelo estaba lleno
de hojas podridas, de basuras crueles
y había que barrer el ancho piso
de tierra de tu patria,
limpiar los miedos, pintar las paredes
con un color que ya no fuera el negro;
había que escribir constituciones,
frases con sellos de águila, antidogmas,
y sobre todo, no cejar: herir el rayo
y dominar la hora.
Entonces comenzó aquel largo viaje
de tu celo, y rodaste en un carruaje
del que tiraba la jurisprudencia.
Atravesaste la noche de México,
fuiste vigilia, gestión, esperanza,
y cuando el invasor se derrumbó,
cuando tus normas
fueron decoro público y las flores
habitaron de nuevo las escuelas,
surgió tu nombre como una alta cumbre,
se hizo muchedumbre tu soledad
y para siempre quedaste viviendo
en las festividades de tu pueblo.
Oh, roca apasionada, estatua viva.
Oh, impasibilidad sobre los montes.
Así te vemos hoy, y mientras pasa
la hora fugitiva, permaneces,
y arde el silencio como un ángel puro
en tu silla de bronce.
Desde esa silla, Juárez inmutable;
vences, caminas, logras y construyes.

PROCLAMA A JUÁREZ

Al Lic. Raúl Noriega

En la sierra de Ixtlán una montaña
sobrepasa a las otras. Imponente
—serena arquitectura— vence al tiempo,
en la llanura azul es un gigante.

La tempestad lanzó constelaciones,
ríos escarbaron los estoicos valles,
frutos, granos, árboles y mieses
fueron cortados por el viento
—quién por la cara no ha sentido
su filo, sus machetes—,
la tierra misma al desgarrar su pecho
abrió hondonadas arrastrando
a las fieras agrestes.
Y entre lágrimas y el ay glacial que anuncia los desastres
serena permanece: Juárez.

Limpia manta en el cuerpo radical y entristecido,
un calabazo donde guardar el agua
de las horas amargas,
el sombrero de palma y el calzón mezquino.
Las notas de una flauta llevan sueños
de niño atribulado. Lenguaje de pastor buscando ovejas,
recreando los silbos de los pájaros.
Cuando el viento remueve fiel laguna
tíñese el aire de pastos.
Allá el jacal donde el hambre es una sombra
pegada a los rincones,
donde medran las penas
y el fuego agita bulliciosas manos
queriendo acariciar
sílabas zapotecas.

MANUEL LERÍN

De sustancial hermosura, la "Proclama a Juárez", de Manuel Lerín, cierra el presente
florilegio. Moderna y elegante, la poesía de Lerín hace acto de presencia en revistas y
periódicos, sin integrar desgraciadamente un volumen tal obra. Editorialista y redactor
periodístico, el poeta está consagrado a defender jurídicamente a los campesinos des-
poseídos de México. De Atlixco, Pue.

El corazón destila zumos enjoyados,
ha llegado el amor a sus enmudecidos ojos.
La blanda señorita
con floreado perfume en los cabellos, manos ejemplares,
hada virtuosa, estrella en un pequeno cielo indio,
lámpara en la tiniebla, para la herida aceite,
esplendor matinal, destello entre la noche,
lo aguarda día a día. Ella verá crecer
al joven entre togas liberales:
estrechará, amorosa, republicanos hombros;
secundará, con dagas en el seno,
el viacrucis en pos de una patria amenazada
y ha de amarlo como él ama a su pueblo.
Así la flor —su nombre es Margarita—
perfuma la proclama política.

San Juan de Ulúa: caverna y tumba.
La luz está olvidada. Por el húmedo suelo
el tobillo florece doloroso témpano,
reptiles y batracios tornan verde
el aire, la palabra.
Afuera, el espadón y la locura de Santa Anna.

Nueva Orleáns es barraca de tabaco.
Hojas tuerce el negro, también el mexicano.
Soledad en todas partes, soledad
por el distante amor: la tierra devora antepasados.
Nunca una lágrima mojó la mano impávida,
ni del labio escapó lamentación oscura,
el pecho —proa tenaz— enfrenta hacia el destino.
Y Juárez absoluto tuerce cigarrillos.

Dejemos pasar los días...
Reunid al recato irrevocable, una levita
negra de impecable dibujo, el bastón reverente,
botines de charol —barniz y brillo—,
camisa lúcida, el ojo bondadoso más certero,
la tez cobriza como tarde estival,
afán inexorable...
Estamos frente a Juárez

¿Algo más recio que una roca?
Juárez.
¿Y más impenetrable que el abismo?
Juárez.
¿De más valor para lograr una victoria?
Juárez.
¿O más sereno en la noche y la derrota?
Juárez.
Gritemos al igual que la república:
¡Juárez! ¡Juárez!

Palacio Nacional es ya teocali,
un ídolo liberal reparte
con puño equitativo los títulos del pueblo.
Nuevo designio, como fértil atmósfera,
salvaguarda a México:
la vida —río vivaz— desemboca en la Reforma.
Y está sentado en silla incorrupta, la más alta,
inmóvil, pétreo, máscara.

Escuchad cuatro ruedas sobre fiero empedrado,
mil chispas saltan como del yunque brota
la centella minúscula,
cuatro ruedas girando sin poder rebasar
el ansioso camino.
La explanada es un gris sediento, desmedido,
el desierto calcina la patriótica sangre,
mírase allá recio horizonte.
Se multiplica el coche trashumante:
de Dolores Hidalgo a San Luis,
de Monterrey a Chihuahua.
Después va a Durango, Saltillo,
Zacatecas, Jerez y Fresnillo.
Azuza sotacochero,
a la "Canaria", a la "Venus",
que llevas a don Benito
y con él nuestro destino.

Barba imperial, hado infeliz, Maximiliano.
Bella, de rubia voluntad, Carlota.

Chapultepec se inunda con los valses de Viena,
mantos de armiño, cuadros de opereta,
sienes de engañosas coronas.
Se oyen crujir cortesanas carrozas.
Mexicanos infieles al extranjero ensalzan;
rodilla en tierra —sumisión y fango—
dan hijos, patria, independencia.
Pero Juárez, alerta, sacudiendo oriflama
de libertad recorre los caminos de posta,
la vereda insalubre, el atajo verídico.
Tras de sí, como nube empujada por el viento,
los chinacos destrozan forastero enemigo.
Su entereza derrumba el castillo de naipes.

Y por siempre concluye fatal escaramuza.
Guillermo Prieto cantará a la musa
popular, Melchor Ocampo
sembrará silogismos hasta lograr la madura
flor liberal,
Sóstenes Rocha y Escobedo
rendirán adversarios
a sable y fuego.
Ya viene descarnada, puntual, la rubia muerte.
Tocan sus huesos la sedosa barba
hablando al archiduque con voces austriacas.
Fusiles mexicanos apuntan al imperio
(Carlota, en ultramar, sin razón y sin lágrimas).
en Querétaro el aire se embalsama con pólvora.
Levántase un cadalso: el cerro de las Campanas.
Un labio solamente tiene el pueblo
para cantar los triunfos,
una sola palabra está creciendo en la rebelde tierra
y es concierto eficiente
levantando a los muertos, disipando los humos.
Y no fueron los cáusticos combates
pesadilla ilusoria:
respira, vuelve en sí, la república.

INVOCACIÓN

Gobernante certero como flecha que busca
el punto equidistante
abogado piadoso ante el dolor del humilde,
mano tenaz para tomar el látigo
sobre el rufián, puño ardoroso,
para impedir enfriara la querella
(manejó la libertad con adiestradas riendas),
balanza ante los ojos del mexicano inválido,
acantilado que contuvo el empujón de las iras,
columna, obstinación vertical,
silencio iluminado,
ídolo, máscara, jefe impecable,
vengo a rendir mi palabra sumisa.
Tu pedestal es ancha gloria,
tus laureles nos dan eterna sombra.
En los brazos nos llevas, impasible maestro,
y todavía recorres, en insomne carruaje,
las veredas de México.

✤

Juárez en la poesía

Se terminó de imprimir en el mes de octubre de 2005 en
los talleres de Productos Gráficos El Castor, Mártires de
Tacubaya # 1-C Ex-Hacienda Candiani, Oaxaca, Oax.
Se tiraron 6 000 ejemplares.

✤